Ce n'est qu'un au revoir

Marie Asselin Marchildon
avec
sa petite-fille Louise Mullie

Auteure Marie Asselin Marchildon

Rédactrice Louise Mullie

Révision et Lexique Françoise Marois

Lecture d'épreuves Françoise Marois
Louise Mullie

Couverture Edward Hagedorn

Mise en page Roderick Jamer

Photocomposition Impression Reliure Prodigy Industrial Printers, Inc.
Mississauga (Ontario)
Tél# (416) 624-7480

Dépôt légal - 4ᵉ trimestre 1988
Bibliothèque nationale du Canada

ISBN-0-919973-42-6

Table des matières

À mes enfants
mes petits-enfants
mes arrière-petits-enfants

Comme je suis très vieille,
je me demande pourquoi
Dieu me garde encore en vie.
Je crois que c'est pour prier
pour vous
et pour tous les enfants
que vous mettrez au monde.

Chapitre I
Mes ancêtres
1836-1892

L e premier Asselin venu de France en 1659 s'établit à l'Île d'Orléans pour y défricher la terre. Je ne sais pas quand mes ancêtres du côté des Dault sont arrivés, mais mon grand-père maternel, Éli Dault, fut le premier à s'aventurer jusqu'ici en Ontario.

Né en 1836 à Saint-Polycarpe au Québec, pépère Dault nous racontait qu'il n'y avait pas assez de terres disponibles au Québec pour que toutes les grosses familles puissent se nourrir. Le monde était si pauvre que les jeunes capables de travailler devaient voir à leur propre survivance. Quand pépère était très jeune, il était allé travailler dans les chantiers, mais après un certain temps, il était

Mon grand-père maternel, Éli Dault 1836-1926

7

revenu chez-lui découragé et épuisé par le dur travail que lui imposait un patron sévère et sans pitié. À son retour chez-lui, son père lui avait dit: «Mais pourquoi as-tu laissé ton ouvrage? Tu sais que j'en ai plus à nourrir que je peux faire d'ouvrage!» Mon grand-père avait répondu qu'il aimait mieux rester à la maison même s'il n'allait manger que du pain et du lait. «Et c'est comme ça que ça se passait», nous racontait pépère. «Je n'aimais pas le lait et je devais manger du pain et du lait pour survivre. Souvent, je sortais dehors pour vomir.»

Vu les circonstances qu'il vivait, le jeune Éli Dault, comme tant d'autres Canadiens du Québec, fut attiré en Ontario. D'abord, c'est à Collingwood que mon grand-père s'est rendu vers la fin des années 1850. En 1855, le chemin de fer passait entre Barrie et Collingwood. Là, il avait comme ouvrage de fendre des troncs d'arbres en perches. Plus précisément, c'étaient des billots de cèdre qu'il coupait pour faire des clôtures. La région était en train de se développer, donc ceux qui achetaient des terres devaient les clôturer. D'après pépère[1], les premiers Canadiens du Québec arrivaient avec un petit sac plein de dix sous et ils achetaient des terres à dix cents de l'acre. Ils pouvaient acheter cent acres de terre tout en bois, de la forêt vierge!

Il n'y avait aucune industrie par ici. Le travail était de défricher la terre. Je suppose que c'est en se cherchant de l'ouvrage que mon grand-père s'était rendu à Plantagenet. Il a épousé Zoé Dubeau, et le couple eut douze enfants dont quatre garçons et huit filles: Théophila, Exilda, Joséphine, Ernestine, Odile, Christiane, Rébecca, Rachelle, Napoléon, Billy, Julien et Joseph.

Exilda ma mère, avait quatre ans quand mes grands-parents se sont en venus s'établir par ici en 1864. À l'époque, ça prenait un certain temps pour voyager du Québec. Alors, les migrations se faisaient en groupe. Avec mes grands-parents sont venus les Lalonde, deux Asselin, Baptiste Dubeau et mon oncle Gédéon Dault. Oncle Gédéon était marié à Hermine Dubeau, la soeur de ma grand-mère: deux frères Dault mariés à deux soeurs Dubeau. Quand ils se sont en venus du Québec, ma mère me contait qu'ils avaient emporté le levain et qu'on se passait ce levain de famille

Ma grand-mère maternelle, Zoé Dubeau 1839-1906

en famille. Comme il n'y avait pas de papier ciré, le pain séchait vite, donc il fallait boulanger deux fois par semaine pour avoir du pain mangeable.

Comme ailleurs, la vie était dure et les gens connaissaient la misère à Saint-Patrick. C'était un arrondissement d'Irlandais, donc ma mère qui ne parlait que le français, dut aller à l'école anglaise. Elle avait treize ans quand la première école fut construite et je crois qu'elle y est allée pendant deux ans. Maman nous racontait que sa maîtresse d'école anglaise, qui portait une boucle de ruban rose au cou, s'était approchée en lui demandant: «Where's your book?» Tout étonnée, ma mère pensait que ça lui prenait, elle aussi, une «boucle» de ruban rose!

En plus d'une école, les pionniers avaient bâti une petite chapelle en bois rond. Pour cette raison, l'arrondissement de Saint-Patrick était aussi connu sous le nom de La Chapelle.

À l'époque, la région était complètement boisée: se rendre à l'église voulait dire marcher deux milles à travers des routes où les arbres avaient été abattus. Ma mère nous disait qu'elle ainsi que ses frères et soeurs, devaient marcher pieds nus jusqu'à l'église afin de ménager[2] leurs chaussures. Comme ces bois étaient recouverts de petites souches, ma mère avait souvent eu les orteils tout écorchés. On ne mettait nos chaussures qu'un petit bout avant d'arriver à la chapelle.

Mon grand-père paternel, Joseph Asselin, était lui aussi originaire de Saint-Polycarpe et il avait fait partie de la même vague de migration du début des années 1860. Pépère Asselin était contremaître dans les chantiers et c'est en se cherchant de l'ouvrage qu'il s'était rendu à Peterborough. Là, il avait rencontré et épousé Ellen Barry, une jeune fille irlandaise de quinze ans. Ensemble, ils sont ensuite allés à Coteau Landing au Québec.

Ma grand-mère, Ellen Barry, était venue au Canada avec ses parents. Ceux-ci s'étaient enfuis d'Irlande pendant la Grande Famine en 1845. Après son mariage à mon grand-père, la jeune Ellen avait sans doute dû bien s'ennuyer quand ils sont retournés au Québec. Elle ne parlait pas français et elle s'est tout de suite mise à avoir des enfants. Elle avait déjà quatre petits quand ils se sont en venus à Saint-Patrick en 1860. Mon père avait deux ans. Comme ma grand-mère devait être contente de se retrouver dans un milieu où il y avait tant d'Irlandais et d'Irlandaises!

Joseph Asselin et Ellen Barry eurent dix enfants dont six garçons et quatre filles: Bridget, Mary, Ella, Catherine, Jim, Willy, Thomas, Pierre, Joseph-Honoré et Mike. À l'âge de trente-trois ans, la pauvre Ellen mourait. Mon père n'avait que dix ans.

En plus de la grande peine que lui avait causée le décès de sa femme, mon grand-père a dû se séparer de ses tout-petits. Ses belles-soeurs de Peterborough sont venues chercher les plus jeunes tandis que les plus âgés sont restés dans la parenté à Saint-Patrick.

Bridget avait dix-sept ans, donc elle est restée à Saint-Patrick. Mais pour alléger la tâche de nourrir toute cette famille, on a bientôt voulu la marier. Tante Bridget était désolée de devoir marier Fabien Saint-Amant, car elle ne l'aimait pas du tout. Un jour, lorsqu'elle était en ville à Penetanguishene, elle rencontra le cousin de son père et elle lui raconta son malheur. Ce cousin, aussi du nom de Joseph Asselin, voulut l'aider. Il assura Bridget que le curé ne recevrait jamais le baptistère de Fabien Saint-Amant parce qu'il allait lui-même s'occuper d'intercepter la lettre qu'on attendait du Québec. En effet, la lettre ne s'est jamais rendue. Le jour du mariage est arrivé et comme tout était prêt, on a quand même célébré la noce, sans la cérémonie de mariage. Fabien Saint-Amant s'est retrouvé le bec à l'eau car peu après, c'est le jeune Joseph Asselin lui-même qui mariait tante Bridget!

Pendant que tout cela se passait à Saint-Patrick, mon père était à Peterborough. Une de ses tantes, Catherine Barry, était mariée à un M. John Kelly. Ils étaient les grands-parents du fameux acteur, danseur et chanteur Gene Kelly. Chez ses grands-parents, mon père n'entendait jamais un mot de français. Il est resté là quatre ans.

Entre ci et ce temps-là, mon grand-père s'était remarié à Saint-Patrick. Il avait épousé Mme veuve Pilon et elle avait déjà sa famille. Pépère a vite fait revenir ses enfants de Peterborough en leur payant le passage. Mon père avait alors quatorze ans et il était accompagné de son petit frère Mike. Ils se sont en venus jusqu'à la ville de Barrie, à trente milles de Saint-Patrick.

Rendus à Barrie, il n'y avait pas de train pour se rendre à

Penetang, il fallait monter dans le «stage-coach»[3]. Ce jour-là, il y avait seulement une place de libre dans le «coach», alors mon père a décidé de faire embarquer son petit frère Mike tandis que lui marcherait derrière le «coach». Ils se sont rendus comme ça et de temps en temps, mon oncle Mike débarquait un bout de temps pour que mon père puisse se reposer.

À quatorze ans, mon père s'est pris de l'ouvrage dans un chantier comme «chore-boy»[4]. Il devait rentrer l'eau et le bois, laver la vaisselle, aider le cuisinier à peler des patates et à voir aux repas. Après ça, il a travaillé chez un des gros «boss». Quand ce Monsieur voulait sortir, il fallait que mon père aille atteler ses chevaux. Papa avait soin des chevaux, des poules et de la vache. L'ouvrage était rare. Défricher la terre était presque la seule ouvrage.

L e dix août 1880, mon père épousa Exilda Dault, fille d'Éli. Comme ses parents, ma mère avait vu la misère. Pendant les premières années de leur mariage, mes parents n'avaient absolument rien. Ils avaient loué une maison à une ou deux piastres par mois de loyer et mon père avait fabriqué une couple de petits bancs au cas où il y aurait de la visite. Ma mère disait que dans cette maison, il n'y avait qu'une table, deux chaises et un vieux poêle. Tout ce qu'ils possédaient, c'était un coffre pour mettre leur vaisselle et le manger[5]. Un bon coup, c'est arrivé que mon père ne pouvait pas payer le loyer et le propriétaire est venu prendre ce coffre-là. Ma mère avait été bien peinée de devoir placer sa vaisselle et son manger sur la table.

Après avoir eu une première petite fille, mes parents se sont en allés aux États-Unis. Comme les milliers d'émigrés canadiens, mon père voulait profiter de l'expansion dans le secteur manufacturier américain, donc pendant tout l'hiver, il avait travaillé à couper du bois pour faire du charbon. Il appelait ça le «kiln».

Ce même hiver, leur petite Joséphine est morte et ma mère se retrouvait seule à la maison sans son bébé. Elle s'ennuyait tellement que mes parents décidèrent de revenir à Saint-Patrick. Là au moins, maman aurait la consolation de connaître les gens

Mes grands-parents paternels, Joseph Asselin et Ellen Barry, mariés en 1852

La soeur de mon père, tante Bridget Ann Asselin et ses enfants: debout de gauche à droite: Albert, Audry (devenue Sister Mary Cosmos) et Coleman; assis de gauche à droite: Edmund, Sherman et son neveu Richard Asselin, fils de Peter Asselin.

autour d'elle.

Je suppose que mes parents avaient épargné un peu d'argent, car ils sont venus à bout[6] de s'acheter une terre à leur retour. Ma mère était bonne ménagère et elle prenait bien soin de ce qu'ils avaient. Elle nous disait «qu'elle avait assez pincé les sous que le nez de la reine devait souvent saigner!»

Enfin, mes parents se sont acheté une vache et là, ça allait mieux parce qu'ils avaient du lait pour les enfants. Mes parents eurent neuf enfants dont trois sont morts en bas âge. Ils ont élevé trois filles et trois garçons: Joséphine nommée d'après la première, Marie, Thérèse, Mike, Johnny et Joseph.

Quand mes parents ont commencé leur famille, le chemin de fer passait jusqu'à Penetang. Enfin! les hommes pouvaient couper du bois de corde et de chauffage, et faire de l'argent. À Saint-Patrick, il y avait une station où le train s'arrêtait. Quand le sifflet criait, les hommes se dépêchaient tous pour aller charger du bois: les premiers arrivés avaient de l'ouvrage et les autres s'en retournaient la tête basse. Papa nous racontait qu'à cinquante cents par jour, c'était de l'ouvrage que tous les hommes voulaient. «On pouvait voir courir de partout à travers les champs, des hommes envieux de ceux qui s'y rendraient les premiers.»

Mon père n'était pas un gros homme: il mesurait à peu près cinq pieds huit pouces. Mais il était fort et puis c'était un gros travaillant. Avec l'ouvrage dure qu'il faisait, inutile de dire qu'il n'était pas gras.

Chapitre II

Mon enfance
1892-1904

«Que de fois au déclin de la vie,
Quand je songe aux beaux jours du passé,
Je reviens l'âme toute ravie
Au nid charmant qui m'a tant bercée»

Le vieux sapin

Je suis née le 17 décembre 1892. Comme tout le monde, mes parents étaient bien pauvres. Mais pour nous, les enfants, la vie était très belle: on n'avait rien, puis on avait tout! Ma mère nous disait qu'on ne s'était jamais couché sans manger.

Quand j'étais petite, nos parents nous emmenaient souvent veiller chez les voisins. Nous, les enfants, on n'était jamais tanants[7] parce qu'on était trop intéressés d'entendre les vieux parler de leur jeune temps. Je me souviens surtout des voyages de retour à la maison, tard le soir. Nous étions fascinés et émerveillés par la quantité d'étoiles qu'il y avait au firmament. Des fois, il y avait des étoiles qui tombaient à grande vitesse et on trouvait ça miraculeux de les voir tomber sans jamais se frapper! On voyait aussi la voie lactée et le bonhomme dans la lune.

Comme nous avons eu une belle enfance avec un papa et une maman qui nous berçaient le soir! D'habitude, c'était papa qui me berçait tandis que maman berçait Johnny. Souvent, je demandais à mon père de me raconter une histoire ou un conte et pour me taquiner, mon père disait: «Une fois, c'était un roi et un autre homme qui commençaient à se battre. Tap, pi tap, pi tap, pi tap...» et il n'y avait plus de fin à ce «tap pi tap». Je me fâchais et je tappais mon père pour le faire arrêter, mais lui, il continuait son «tap pi tap» et il se moquait de moi.

J'avais trois ans lorsque mon père acheta sa première terre. Je ne sais pas au juste combien il l'a payée, mais je sais que mon grand-père avait acheté cent acres pour la somme de deux cent cinquante dollars. La nouvelle terre de papa était presque entièrement recouverte d'arbres. Sur les lieux, il y avait une maison et une petite grange, mais ce n'était pas de la bonne terre. Il y avait pas mal de sable. C'était de la terre neuve, alors ça poussait quand même.

Mon père était un gros travaillant. Il a clairé[8] la terre et creusé des fossets pour égoutter ces champs-là qui étaient trop trempes. Quand il abattait un arbre et qu'il ne pouvait pas aller le chercher avec les chevaux, il sortait ça sur son dos. En plus d'être fort, papa était aussi habile. Il a agrandi la maison et construit une autre grange. Puis, mes parents en ont regagné[9].

Je me rappelle quand il clairait la terre: papa arrachait les souches, il coupait les racines à l'entour, puis il accrochait un attelage de chevaux à la souche pour l'arracher. Des fois, mon père nous emmenait tous arracher les racines. On n'aimait pas trop cette ouvrage-là, mais on savait qu'une fois que ce serait sec, ces gros tas de racines nous feraient de beaux gros feux. Papa faisait toujours brûler ça le soir et nous, les enfants, on aimait bien aller aux feux.

Quand mes parents ont acheté la terre, nous sommes déménagés de la septième concession à la dixième et nous étions à environ un mille du lac. Nous n'étions quand même pas libres d'aller nous baigner à notre gré[10] parce qu'il y avait beaucoup d'ours dans les bois. Mais on était cependant libres de jouer comme on le voulait. On s'aventurait dans les champs et s'il y avait un ruisseau, on allait à la pêche. Il me semble que nos parents ne s'inquiétaient jamais.

Quand j'étais petite, il y avait des caravanes de bohémiens et de bohémiennes qui venaient de temps à autre camper à Saint-Patrick. On était fasciné par leurs costumes exotiques, car c'étaient des gens de nationalité étrangère. Pour ne pas que nous nous approchions trop de ces étrangers, on nous disait qu'ils volaient les enfants. En plus, ma mère nous chantait «Connais-tu le pays?», une chanson qui raconte la tristesse qu'éprouve un enfant volé.

Au lac, en bas de chez-nous, les Indiens débarquaient pour venir échanger leurs produits. Dans ce temps-là, on les appelait encore les «sauvages», mais ils ne l'étaient pas. Je ne sais plus si c'était en barge à voile ou en chaloupe à rames, mais ceux-ci arrivaient dans les rangs[11] avec un voyage de paniers sur le dos. Puis, ils échangeaient leurs produits contre du lard ou de la farine ou n'importe quoi de ce qu'on avait. Ils étaient très pauvres. Les Indiens et leurs familles avaient été placés dans une réserve, une île près d'ici. Sur l'Île-aux-Chrétiens, il y avait des terres, mais des terres de sable: rien n'y  poussait. En plus, la pension qu'ils recevaient du gouvernement, cette pension-là, ce n'était presque rien!

Nous, nous avions plusieurs vaches et mon père était cultivateur. Pendant mon enfance, il fallait se lever à cinq heures du matin pour traire les vaches. Mon père y était toujours rendu bien avant nous.

Ma mère aussi avait toujours de quoi à faire, car tout était fait à la maison. Quand j'étais encore trop petite pour aider, c'étaient maman et ma grande soeur Joséphine qui tricotaient les bas et les mitaines. Elles faisaient aussi des couvre-pieds et même des catalognes[12]. Mon père amenait les poches de grain à la maison pour que maman les raccommode et c'était toute une journée d'ouvrage! Elle était souvent fatiguée, mais on n'entendait jamais maman se plaindre.

Ma mère, Exilda Daoust 1860-1928

Maman avait un caractère bien agréable. Elle était toujours de bonne humeur et je ne me rappelle presque pas de l'avoir vue fâchée. Quand elle nous parlait, par exemple, on savait qu'il fallait obéir. Ou bien, elle nous disait: «Attendez que votre père arrive, il va arranger ça!» Ce n'est pas que mon père nous maltraitait, mais on avait plus peur de lui parce qu'il parlait plus fort.

Mes parents étaient très bons. Ce sont eux qui s'occupaient de notre enseignement religieux. Chez-nous, c'était mon père qui nous faisait tous réciter un à un la prière du matin. À cette époque-là, il n'y avait pas de religieuses à Saint-Patrick et nous étions desservis par le prêtre qui venait de Lafontaine - l'arrondissement que les Anglais appelaient le «French Settlement». À Saint-Patrick, nous avions une très belle église, mais nous n'avions la messe qu'à tous les deux ou trois dimanches. C'était chez-nous que nous récitions le chapelet et que ma mère nous lisait l'Évangile. Elle tâchait aussi de l'expliquer du mieux qu'elle le pouvait pour s'assurer que nous grandissions dans la Foi. Quand j'étais très petite, je me rappelle que j'entendais mes parents se parler du «miroir des âmes» et je me demandais bien ce que ça pouvait être. Je m'imaginais que c'était quelque chose qu'eux pouvaient voir et j'éprouvais le désir de voir ça moi aussi! En grandissant, je n'ai plus jamais entendu parler du «miroir des âmes» et même aujourd'hui, je voudrais bien savoir de quoi il s'agissait. Mes parents avaient peut-être vu un livre de ce titre, mais je ne sais vraiment pas. Par contre, je me souviens de la première prière que ma mère nous a enseignée. Je la trouve encore très belle et je l'ai récitée tout au long de ma vie. La voici:

Mon Dieu,
Je vous donne mon coeur, mon corps, mon âme.
Prenez-les s'il vous plaît,
Afin que jamais aucune créature
Ne puisse posséder que Vous seul
Mon bon Jésus.
Vive l'amour de Jésus
Qui m'aimez sans retour!
Allumez dans mon coeur
Le feu sacré de Votre divin amour.

Bien que nous étions solennels dans nos moments religieux, on aimait bien rire et jouer. Nous n'avions pas de jouets, donc il nous fallait inventer nos propres jeux. Des fois, on se mirait dans l'eau du cârre[13] et en se mirant, on se parlait. L'écho qui nous revenait nous faisait bien rire. On jouait aussi à la cachette, à colin-maillard, à la belle bergère[14] et à la chaise honteuse[15]. L'hiver, on avait toujours nos traîneaux.

J'avais aussi un chien quand j'étais petite. Il s'appelait Monroe. Il était bien dressé et à tous les mardis et jeudis, je l'attelais pour aller chercher le courrier au bureau de poste. Albert Belcourt avait, lui aussi, un chien dressé. À chaque fois qu'on se rencontrait, la bataille prenait[16] entre nos deux chiens. Je n'aimais donc[17] pas ça! Je pense encore à mon petit Monroe... ça m'avait donc crevé le coeur quand il est disparu un soir de Noël. Je ne l'ai plus jamais revu.

Quand mon frère et moi avons commencé l'école, j'avais cinq ans et Johnny en avait sept. On avait toujours parlé uniquement français à la maison, alors ce fut tout un choc le premier jour. Johnny et moi étions pas mal découragés. On s'est assis par terre et on s'est mis à pleurer: «Allons-nous'en chez-nous», a dit mon frère. Bien ça, ça faisait mon affaire! En chemin, on a rencontré notre maître d'école, M. Tom Hayes. Il a essayé de nous ramener à l'école, mais pas question! C'était chez-nous qu'on s'en allait! Une fois rendus, ce ne fut pas la même histoire: il a fallu reprendre la route de l'école dès le lendemain matin.

Nos parents ne s'attendaient pas à ce que nous fassions de longues études, mais ils étaient bien satisfaits de nous voir apprendre à lire, à écrire et à compter. Les grands et les petits étaient tous dans une même salle, et il n'y avait qu'un seul professeur pour enseigner tous les niveaux. Je me souviens que pour nous tenir occupés, notre maître nous faisait apprendre toutes sortes de choses par coeur. Je suis convaincue que cela nous a bien développé la mémoire.

Ça n'a pas pris de temps que nous avons appris à parler anglais. Au début, mon père nous aidait en composant des petites phrases afin qu'on comprenne ce qu'était une chaise puis une table. Mon père parlait anglais. Même, il avait dû réapprendre son français à l'âge de quatorze ans quand il était revenu de Peterborough. Il ne savait ni lire ni écrire. Ma mère, elle, lisait le français et l'anglais, et elle savait écrire dans les deux langues.

Maman aimait beaucoup la lecture. Elle était abonnée à la Presse et nous recevions ce journal de Montréal à chaque semaine. Moi aussi, je me suis mise à essayer de lire le journal et avec l'aide de ma mère, j'en suis venue à bout. Mais à l'école, ça se passait

21

en anglais. Je pense qu'on aimait ça parler anglais, Johnny et moi, car en route pour l'école, on se parlait anglais.

Nous trouvions nos copines et nos copains d'école très amusants. Le plus espiègle était sans le moindre doute, Napoléon Lefaive. Un jour, il est arrivé de bonne heure à l'école et il a pris une perche de la clôture pour monter dans le grenier de l'école. Il est monté

L'église de la paroisse Saint-Patrick à Perkinsfield avait coûté 4 000$ en 1884

par une ouverture du plafond qui n'était que de dix-huit pouces par dix-huit. Il s'est mis à tirer le câble de la cloche. Il la faisait sonner sans arrêt, ce qui fit hâter le pas de Mlle Casserley, notre maîtresse d'école. Elle essaya en vain de le faire descendre, mais Napoléon amusait tous les enfants en chantant, en dansant et en faisant sonner la cloche! Enfin, Mlle Casserley a dû envoyer quelqu'un chercher le commissaire. À son tour, il ordonna à Napoléon de descendre aussitôt, ce qu'il fit «bien humblement».

Le commissaire le renvoya chez-lui, mais quelques jours plus tard, Napoléon était de retour à l'école!

Pendant les deux premiers hivers, on n'allait pas à l'école. Deux milles à marcher, c'était trop pour des petits enfants. En grandissant, on y allait assez régulièrement, sauf si nos parents avaient besoin de nous. S'il fallait semer ou récolter les patates ou faire du sarclage, on nous gardait à la maison.

Il y avait toujours de quoi à faire. En plus, il fallait toujours penser à économiser. Avec les pommes, par exemple, il fallait peler, trancher et enfiler sur une corde toutes celles qui ne se gardaient pas l'hiver. On les faisait sécher et on les mettait en réserve pour faire des pâtés ou des puddings.

À l'époque, les gens se construisaient des laiteries en pièces de bois équarri. Les murs de la laiterie étaient très épais, alors ça restait frais à l'intérieur. Il n'y avait pas de plancher et c'était le sol creusé qui retenait la fraîcheur. Sur des tablettes, on gardait le lait, le beurre et la viande. La baratte était, elle aussi, rangée dans la laiterie. Chez-nous, on avait un moule à beurre qui avait un beau petit agneau gravé au fond. Une fois le moule renversé, l'agneau apparaissait sur le dessus de la livre de beurre.

La nourriture goûtait très bon en ce temps-là, car il n'y avait aucun produit chimique dedans. On buvait du bon lait de beurre et on s'en servait pour faire des crêpes, des gâteaux et des bonnes galettes chaudes. Il n'y avait pas de séparateur pour le lait et la crème: on séparait le beurre du petit lait et en se servant d'une palette, on mélangeait le sel et le beurre. Après une journée ou deux, le lait avait caillé et on l'écrémait. Avec la crème, on faisait du beurre dans la baratte et on mangeait le reste soit en yogourt ou en fromage cottage.

Quand j'étais jeune, on n'avait pas de moulin à viande. Il fallait hacher la viande avec une hache bien effilée et tout le monde gardait une bûche de bois d'érable pour trancher la viande. C'était surtout du porc que l'on mangeait, du jambon frais coupé en tranches. Nous n'avions pas de réfrigérateur, alors les tourtières[18] ne se faisaient qu'en hiver, pour Noël.

Si l'on voulait manger des fruits frais, il nous fallait courir les champs pour en trouver. Cependant, sur notre terre de la dixième concession, il y avait des petites prunes sauvages. Elles étaient très rouges, mais pas très bonnes. Les fruits étaient si rares que ça faisait l'affaire. Quand ma mère les faisait cuire avec du sucre, elle gardait les noyaux et quand elle faisait de la crème brûlée, elle ajoutait les amandes de ces noyaux. Ça faisait une très bonne essence.

Il n'était pas rare d'avoir des tablées de douze à quinze enfants, et souvent, il y avait aussi les grands-parents. Il n'y avait pas de foyer pour ces gens âgés et à soixante ans, ils étaient bien usés par le dur labeur. Pauvres vieux, ils devaient donc se sentir de trop parmi cette marmaille[19]! Surtout après avoir eux-mêmes élevé de grandes familles.

Les femmes n'avaient pas de temps à perdre. Tous les ans, elles étaient enceintes et souvent, elles avaient deux ou trois petits aux couches. Elles devaient laver trois douzaines de couches par jour à la planche à laver et même enceintes, elles lavaient les planchers à genoux avec une brosse. Le savon dont elles se servaient était de la cendre du bois franc qu'on avait brûlé pour chauffer la maison.

Les femmes travaillaient presque sans arrêt. Les petites filles étaient toujours obligées de porter des robes, donc il fallait repasser constamment en faisant chauffer le fer sur le poêle. Les raccommodages étaient énormes. À l'automne, quand une femme voyait qu'elle ne pouvait pas arriver, elle faisait une corvée. Parfois, ce n'était qu'en s'entraidant que les femmes venaient à bout d'arriver.

Avec tout ce travail, il n'est pas surprenant que les femmes perdaient souvent leurs bébés. Entre ma naissance et celle de mon frère cadet, ma mère a perdu deux bébés, Alice et Ernest. Les recettes médicinales du temps de mes parents étaient loin d'être des plus efficaces. Chez-nous, quand un enfant avait un mauvais rhume et qu'il était bien croupé[20], on allait chercher Mme Parent. Elle venait et elle tranchait des oignons qu'elle mettait tout autour du cou de la personne malade. Je ne sais pas si ça aidait. Pour la coqueluche, il y avait un autre remède. La coqueluche, c'était terrible! Les enfants toussaient à n'en plus finir jusqu'au point de vomir. Ils avaient les yeux veinés rouges, et même des fois, il se formait une goutte de sang dans l'oeil. Je ne connais pas l'origine du remède pour la coqueluche, mais c'était le seul remède pour les Français et pour les Anglais: il fallait boire du jus de crottes de mouton que les parents faisaient bouillir. Je suppose qu'il y a des parents qui s'étaient imaginés que leurs enfants se forçaient à tousser sans raison et qu'ils avaient besoin d'une bonne peur pour les faire arrêter. Par pure coïncidence sans doute, la coqueluche finissait toujours par se passer.

Le plus grand remède de l'époque était le sel à médecine. Il y avait aussi l'huile «éclectique»[21] contre les douleurs. Chez-nous, on se gardait en bonne santé en se faisant des tisanes soit de branches de merisier ou de cerisier. Mes parents ne faisaient pas de bière, mais certains voisins en préparaient avec de l'épinette ou de la pruche. Cette bière avait bon goût même si c'était un goût plutôt médicinal.

À l'hiver de 1900, ma soeur aînée frôla la mort alors qu'elle n'avait que quatorze ans. Nous l'avons même crue morte à un certain moment. Au début et ensuite à tous les deux jours, le médecin venait de Penetanguishene. Pendant que ma mère avait les mains pleines[22] à prendre soin de Joséphine, Johnny et moi étions responsables du bébé. La petite Thérèse n'avait que quelques mois: elle était née le 29 août 1899. Elle braillait à fendre l'air[23] et continuellement! On nous avait dit que c'étaient les «sauvages» qui étaient passés chez-nous et qu'ils nous l'avaient laissée. Je n'avais que sept ans et j'aurais voulu que ceux qui l'avaient déposée chez-nous viennent la chercher. À tour de rôle, Johnny et moi devions la bercer et nous étions bien fatigués d'en prendre soin à la journée longue. Souvent, on disait: «Maman, dépêchez-vous de venir prendre soin du bébé».

En 1900, toute la famille trouvait la vie dure. À chaque fois que le médecin se rendait chez-nous en «cotteur»[24] de Penetang, ça coûtait cinq piastres. Rendu au printemps, mon père était tellement pauvre qu'il ne pouvait pas faire ses semences. Il lui a fallu louer sa terre et aller travailler dans les moulins à scie à Midland. À la fin du XIXe siècle, la ville de Midland était le deuxième centre le plus important au Canada dans la production de bois de scie. Ottawa était la première.

Mon père et mon frère Mike ont travaillé à Midland tout l'été. L'été d'ensuite, ils ont repris la terre. Toute l'ouvrage de la terre était faite par les homme et les chevaux. Le labourage était fait avec une charrue simple et les hommes marchaient du matin au soir derrière cette charrue. Ensuite, il fallait passer la herse avant les semences. On semait à la main: mon père s'attachait un semoir au cou et de ce grand sac, il lançait le grain en terre. C'était un travail pénible que de marcher toute la journée avec un tel poids au cou.

Entre les semences et les récoltes, il fallait tondre les moutons, laver la laine et la carder. Au temps des premiers colons, on cardait la laine à la main, mais plus tard on se servait d'un moulin à carder situé à Midland. Ce moulin n'existe plus depuis longtemps. Les fermiers faisaient aussi pousser du lin. Filer le lin pour faire de la toile était une autre tâche. Il fallait aussi construire et réparer les clôtures pour empêcher les bêtes de manger le grain avant la récolte.

Le blé d'Inde que nous cultivions à l'époque n'était pas sucré. C'était tout ce qu'on connaissait et on aimait bien ça, soit frais ou lessivé[25]. On en mettait aussi dans la soupe. La récolte de ce blé d'Inde se faisait à l'aide de faucilles. Encore là, on faisait la corvée[26].

Je suis donc contente que les chevaux ne fassent plus l'ouvrage de la ferme: quand ces pauvres chevaux devenaient vieux et malades, ils se faisaient fouetter jusqu'à ce qu'ils en meurent. Nous entendions l'expression «un cheval qui chie sur le bacul» et ça voulait dire que la pauvre bête n'en pouvait plus et qu'elle ne se vendrait que pour vingt-cinq piastres.

Je me souviens d'avoir vu chez notre voisin Émerie Saint-Amant, un moulin à battre qui fonctionnait à l'aide de chevaux, sans vapeur, mais avec une bande transporteuse. Ce n'était pas de même chez-nous. Les temps avaient déjà bien changé, même depuis l'arrivée de mon grand-père. Il nous disait que dans son temps, le battage se faisait au fléau. C'était un instrument fait de deux bâtons liés bout à bout par des courroies. La paille était battue et le grain qui s'en détachait était mis dans des contenants. Dans le temps de mon père, la récolte du grain se faisait avec des faux et des javeliers. C'était un instrument pour mettre le grain en javelles[27]. Ce travail se faisait aussi à la corvée. Papa disait que les hommes chantaient en faisant ce travail afin de s'accorder à faire aller les faux et les javeliers au même train. Les femmes et les filles allaient aussi aider. Avec des râteaux en bois, elles raclaient le grain, le mettaient en botte, le liaient et le mettaient en quintaux[28] pour le faire sécher. C'était un travail très dur et ce fut toute une joie quand les lieuses furent inventées.

Quand nous étions petits, le battage au moulin était tout un événement! Le matin du battage, il était évident que nous n'allions pas à l'école. On entendait le sifflet du moulin et on était bien content. Le batteur et l'engin arrivaient, tirés chacun par deux chevaux et parfois même par quatre. Ils avançaient très lentement, car avec un tel poids, il fallait laisser reposer les chevaux assez souvent. L'engin fonctionnait à la vapeur et le fermier chez qui on faisait le battage, préparait cinq ou six barils d'eau. Il devait s'assurer d'avoir une quantité suffisante de bois pour faire bouillir l'eau et si l'eau venait à manquer, il fallait aller en chercher d'autre. Chez-nous, c'était assez facile à faire parce que nous avions un ruisseau qui coulait entre la maison et la grange.

Le battage se faisait toujours à la corvée. De voir tout ce monde assis autour de la table à trois repas par jour, on se serait cru aux noces! Cependant, je suis sûre que les ménagères n'étaient pas du même avis.

Des événements rares tels que le battage étaient pour nous très impressionnants. D'une saison à l'autre, la vie était simple et toujours liée aux forces de la nature, car nous étions isolés par les distances et surtout par l'hiver. Les fermiers ne payaient pas beaucoup de taxes, mais ils devaient fournir des jours de corvée pour entretenir les chemins. La route n'avait que la largeur d'une voiture et en été, l'herbe poussait entre les traces des roues. L'hiver, les hommes ouvraient les chemins à la pelle ou avec des chevaux. Plus tard, on utilisa une charrue en bois tirée par des chevaux. C'était une amélioration, mais au moindre vent, la neige remplissait le passage que la charrue avait tracé. Dans ces chemins-là, rencontrer une autre voiture était tout un problème. Notre cheval se perdait presque dans la neige et il fallait de la chance pour ne pas être renversés. Si par hasard on rencontrait une autre voiture, il fallait s'arrêter à l'entrée d'une demeure et attendre que la voiture soit passée avant de reprendre la route. Pour aller en ville, ça prenait une heure au moins et une autre heure pour revenir. Au printemps, à la fonte des neiges, on était dans la boue jusqu'aux chevilles et c'est pourquoi on portait des bottines. Quant aux voitures, elles creusaient dans la boue jusqu'aux essieux et si la température refroidissait, les ornières étaient terribles.

Dans ces conditions, on n'allait pas en ville tous les jours. Puisqu'il n'y avait pas de magasin à la campagne, les gens s'empruntaient donc toutes sortes de choses: un pain, une tasse de sucre, une tasse de farine, de l'huile à lampe. Il fallait s'entraider.

Pendant mon enfance, on allait en ville chercher les faux-cols de papa à la buanderie. Les hommes portaient des faux-cols de chemise détachables et on confiait ces faux-cols à la buanderie

chinoise pour les faire empeser. Je me rappelle que ma mère m'envoyait chez les Chinois. Ils portaient le costume de leur pays: chemise gris pâle et culotte mi-jambes. Avec leurs cheveux très noirs et la longue tresse qui leur descendait jusqu'aux reins, ils nous semblaient très étranges. Quand j'allais à la buanderie, j'avais tellement peur que je restais près de la porte, prête à me sauver si l'un d'eux m'approchait!

Isolés comme on l'était, on était farouches. Quand j'avais quatre ou cinq ans, des gens sont venus donner un spectacle dans la remise de l'église. Il y avait un singe et un ours qui dansaient au rythme d'une chanson et j'avais eu tellement peur que j'avais pleuré tout le long de la représentation.

Tout comme ça ne prenait pas grand-chose pour nous épeurer, ça n'en prenait pas plus pour nous amuser. Je me souviens que les magazines aux images en couleur n'existaient pas. Si par chance, on mettait la main sur une image en couleur, c'était précieux! Il y avait une fillette à l'école qui avait soigneusement découpé l'image de la petite vache qu'on voit encore sur les paquets de soda à pâte. Elle la gardait jalousement dans son livre.

Dès l'âge de dix ans, j'ai aussi appris à danser. Les Tremblay venaient souvent veiller chez-nous et ces gens aimaient beaucoup la musique et la danse. Ils avaient deux filles: Carmella

En haut: Joseph Euzèbe Beaudoin, curé à Lafontaine de 1889-1904 En bas: le père Delphis Desroches, curé à Lafontaine de 1904-1908

28

et Alice. Honoré et Jos Desjardins demeuraient aussi chez les Tremblay. Avec ces quatre jeunes, mes deux frères Mike et Johnny ainsi que ma sœur Joséphine, on pouvait former un «set» pour les danses carrées. Un soir d'hiver, les jeunes m'ont dit: «Marie, viens danser!» Comme j'étais nu-pieds, j'ai répondu: «Attendez que je mette mes bottorlots et j'y vais». J'avais de grosses bottines qui avaient appartenu à mon frère Johnny et qui étaient devenues trop petites pour lui. Je les avais baptisées mes «bottorlots».

Quand les Tremblay venaient, Jos Desjardins jouait de la musique à bouche pendant qu'on dansait. Il chantait aussi toujours la même chanson. La voici:

C'est dans la ville de Québec,
Il y a de jolis carquiers[29]
I-y a des jolies filles
Qui sont bonnes à marier.
Elles s'en vont à la messe,
C'est pas par dévotion;
C'est pour tâcher de plaire
À quque[29] joli garçon.

Même si nous en plaisantions, la religion était quelque chose qu'on prenait bien au sérieux. Quand venait le temps de faire notre première communion[30] à l'âge de dix ou douze ans, on «marchait au catéchisme». Cette expression voulait dire que pendant deux semaines, au lieu d'aller à l'école, on allait à l'église recevoir des instructions sur la religion catholique. C'était le curé de la paroisse de Lafontaine, le père Euzèbe Beaudoin qui était venu nous préparer. Il trouvait que j'étais un peu jeune, mais puisque je savais mon catéchisme, il m'avait acceptée. J'avais à peine dix ans. Après la première communion venait la confirmation[31], mais j'étais vraiment trop jeune cette fois-là. Trois ou quatre ans plus tard, l'évêque est revenu dans notre village et je fus confirmée. Le nouveau curé de Lafontaine qui présida à ma confirmation était le père Delphis Desroches.

Et c'est ainsi que se déroula mon enfance: dans la pauvreté et la paix. Avec l'amour et la sécurité de notre belle vie de famille, le vrai bonheur ne pouvait pas être ailleurs.

Chapitre III
Mon adolescence
1904-1911

Au printemps de 1904, mon frère Mike épousa Victoire Desroches. Ils sont restés chez-nous pendant un an et ensuite, mon père se décida à leur laisser notre terre de la dixième concession. La nouvelle terre qu'il avait achetée près du village était très rocheuse, mais la terre en était bonne. À notre arrivée, les clôtures de roches étaient déjà de trois pieds de largeur et il y avait encore des tas de roches partout dans les champs. Mon père ne pouvait tolérer ça. Avec l'aide de mon frère Joseph et des hommes engagés, il a donc transporté des pierres jusqu'à ce que les clôtures atteignent huit pieds de largeur. Après chaque labourage, il fallait recommencer à ramasser les roches que la gelée avait fait sortir. Dans une terre comme celle-là, les pointes de charrue ne duraient pas longtemps. Quand il y avait des roches trop énormes à transporter, mon père creusait un grand trou sous la roche et, en prenant bien soin de l'étançonner pour ne pas se faire écraser, il la faisait tomber dans le trou.

Le travail était très dur, mais la vie était moins énervante qu'aujourd'hui: il n'y avait ni télévision ni téléphone et ni radio.

La Presse était le seul moyen qu'on avait d'apprendre ce qui se passait dans le monde. La vie était si tranquille qu'on était toujours bien content d'aller aux cérémonies religieuses. Là, on y rencontrait nos amis.

À l'automne de 1904, c'est ma soeur Joséphine qui se maria. Elle épousa Godfrey Moreau. Quand Joséphine quitta le foyer, ma mère perdait sa grande fille qui l'avait tant aidée. Comme maman avait la santé fragile, mes parents décidèrent de me retirer de l'école

Mon frère Mike épousa Victoire Desroches en 1904. Leurs cinq premiers enfants de gauche à droite: Germaine, Albert, Clara, Albertine et Rémi.

pour que je puisse à mon tour aider maman. J'avais à peine treize ans. En tout, j'étais allée six ans à l'école.

Mes années d'adolescence furent très heureuses malgré la pauvreté et le manque de confort. Au début du siècle, il y avait toutes sortes de travaux à faire quotidiennement. Il fallait aller chercher l'eau au puits et la pompe n'était pas toujours facile à opérer. L'hiver, dans la maison, il y avait souvent de la glace dans la chaudière quand on se levait le matin. C'était toujours le poêle qu'il fallait faire chauffer. Rentrer le bois devenait un travail répétitif et à l'automne, on voyait dans chaque cour un voyage de billots que les hommes avaient sciés en longueur de quinze ou dix-huit pouces. Avant l'arrivée de l'électricité, il fallait à tous les jours nettoyer les tuyaux des lampes et les remplir d'huile.

Des fois, ce n'était pas drôle. Je me souviens encore du repassage: les femmes faisaient chauffer les fers à repasser sur le poêle et pendant les grosses chaleurs d'été, il fallait quand même repasser. On en profitait pour faire cuire le pain en même temps. Les lavages aussi étaient difficiles, surtout qu'il n'y avait ni détergent ni machine. Les femmes devaient d'abord adoucir l'eau et ceci se faisait d'une façon qui peut nous sembler très primitive aujourd'hui: on gardait la cendre du bois franc qu'on avait brûlé dans des tonneaux qui avaient contenu le sel. Les tonneaux vides servaient à garder la cendre. Mais comme ils n'étaient pas étanches, on versait de l'eau par-dessus la cendre et le résidu qui en coulait servait à la lessive.

Les ménagères ramassaient le gras après avoir fait boucherie et en faisant bouillir ce gras avec la lessive, on obtenait le précieux savon du pays. Pour le faire durcir, on ajoutait de l'arcanson. Au printemps, le soleil faisait couler la gomme des beaux gros pins rouges que les colons avaient abattus en défrichant la terre. Les femmes ramassaient cette gomme et la faisaient bouillir pour obtenir de l'arcanson. Les violoneux s'en servaient aussi pour rendre leurs archets plus flexibles.

L a vie de 1905 à 1912 me parut plutôt longue. Quand on est jeune, les années semblent s'écouler lentement et l'on souffre d'une certaine impatience: on a d'abord hâte d'avoir quinze ans, et ensuite, on a hâte d'avoir vingt ans!

Chez-nous, c'était presque toujours tranquille. Mes parents allaient aux soirées et ma mère aimait bien recevoir des amis une couple de fois par hiver. L'été, il y avait trop de travail pour s'amuser. C'était donc à l'automne que les veillées commençaient. Je me rappelle que lorsque les grands avaient fini de manger ensemble, ils restaient assis à table. Puis, c'était une chanson à répondre et puis une autre. Chacun et chacune avaient son tour. Comme il y avait de belles chansons! «L'oiseau de France», «Au début de la vie», «J'avais juré de vivre sans maîtresse» et «Notre grand-père Noé».

Pendant ces soirées, on ne jouait pas aux cartes, mais on racontait des histoires et on récitait des déclamations. Il me semble que les chants étaient en grande partie mélancoliques. Les pianos étaient rares et nous n'avions jamais entendu parler de guitares.

L'orgue était l'instrument du jour. Mais les gens s'amusaient quand même et leurs soirées duraient souvent jusqu'aux petites heures du matin. Une fois même, les gens se préparaient à partir et le jour prenait. Un de mes oncles avait amené la voiture à la porte pour que ma tante y embarque. Elle embarqua, mais avant que mon oncle puisse remonter, un autre homme était embarqué et il s'en est allé revirer dans le champ avec ma tante! Comme de raison, il faisait

On chantait donc bien en harmonie avec les sabots du cheval! Photo de Clément Marchildon et d'Adrien Desrochers.

grand jour et les autres avaient trouvé ça bien comique. Ça ne prenait pas grand-chose pour nous faire rire.

Pour nous les jeunes, la vie sociale était limitée. Mais de temps en temps mon frère Johnny et moi étions invités chez les jeunes anglophones que nous avions fréquentés à l'école. C'était parfois à des danses organisées dans des maisons privées.

Chez-nous, tous les enfants aimaient bien chanter. Le soir, par un beau clair de lune, mes trois frères et moi, on se promenait en voiture et on chantait. Ça chantait donc bien en harmonie avec les sabots du cheval! Les chansons que nous connaissions nous avaient été transmises de nos parents. Je n'ai jamais vu un seul livre de chansons chez-nous. Ma mère avait bonne mémoire: elle avait appris tout un répertoire de chants et de cantiques par coeur. Mon père aussi aimait bien chanter. Je ne me rappelle pas que l'on ait chanté des chants de Noël comme on le fait aujourd'hui. C'étaient des cantiques que nous apprenions.

Nous n'avions pas la messe à tous les dimanches, alors ma mère nous enseignait des cantiques. Elle nous faisait suivre toute l'année liturgique par les cantiques: Noël, le Carême, Pâques. Ensuite, il y avait le mois de mai avec «C'est le mois de Marie, le mois le plus beau». Après ça, venait la neuvaine à sainte Anne, suivie du mois d'octobre avec «Notre-Dame du Rosaire».

En novembre, pendant le mois des Morts, les soirées étaient interdites tout comme pendant le Carême. On pouvait cependant se rencontrer le dimanche soir, mais comme c'était un dimanche, on ne dansait pas. Les observances religieuses étaient très importantes.

Le Mardi gras, par exemple, était une fête que célébraient surtout les jeunes. Du village de Lafontaine, les jeunes venaient courir le Mardi gras à Saint-Patrick, mais il fallait que nos soirées finissent à minuit tapant. À minuit, le Carême commençait. Cela voulait dire que le lendemain, Mercredi des Cendres, toute cette compagnie[32] se rendrait à la messe recevoir les cendres.

Quand j'étais jeune, il n'y avait pas de mariage entre catholiques et protestants. Il nous était bien défendu de sortir avec un non-catholique. On nous disait qu'il y avait toujours assez de causes de désaccord dans un ménage sans avoir la religion en plus. Les mariages se faisaient en grande partie entre les jeunes de Lafontaine et ceux de Saint-Patrick, et les fréquentations étaient étroitement surveillées: on allait aux danses avec nos frères et il fallait aussi revenir avec eux. Ça, c'était compris. Les jeunes garçons avaient à coeur de surveiller leurs soeurs parce qu'ils savaient que s'il se produisait un scandale dans la famille, toute la famille serait délaissée par la communauté. Les filles qui n'avaient pas de frère à la maison devaient se fier à une amie qui en avait un. On devait toujours être accompagnées d'un garçon si on voulait sortir.

Pour mieux vous expliquer à quel point il était nécessaire de se conformer à un code moral et religieux très sévère, je vais vous réciter «La déclamation du jeune médecin». C'est ma mère qui était renommée pour la réciter pendant les soirées.

Marie Asselin Marchildon à 16 ans.

Un jeune médecin habitant la capitale
A reçu au mois d'octobre en 1829,
Le sacrement de mariage
Avec des circonstances bien édifiantes:
Un de ses amis l'introduisit
Dans une maison recommandable par ses vertus,
En lui faisant espérer la main d'une jeune fille unique,
Aussi pieuse que le reste de sa famille.
Bientôt, la cérémonie nuptiale allait avoir lieu,
Lorsque celui-ci vint seul trouver la mère de sa future épouse
Et lui demanda de parler en particulier à Mlle Émilie.
«Monsieur», lui répondit-elle d'une manière obligeante,
«Ma fille n'est pas bien depuis deux jours
Et elle a besoin de tranquillité.»
«J'aurais cependant quelque chose de très important à lui
communiquer.
Je l'appellerai si vous le désirez
Et vous lui parlerez en ma présence.»
«Jamais ma fille s'est trouvée en tête-à-tête avec aucun homme!»
«Mais bientôt, je dois être son époux!»
«Alors, Monsieur, ma fille ne m'appartiendra plus.
Jusqu'à ce temps, je dois remplir à son égard,
Les devoirs d'une mère chrétienne et prudente.»
«Ah! Madame!» s'écria le médecin,
«Il faut donc que je vous confie mes intentions:
Élevé moi-même par des parents religieux,
Je suis toujours demeuré fidèle à cette religion sainte
Qui nous indique une si belle confiance.
L'indifférence qui existe malheureusement
Parmi certains hommes même instruits
A pu vous inspirer quelques défiances;
Mais loin de les partager,
Je me fais une gloire et un bonheur
De suivre en tous points les pratiques de la Foi.
Plus je les étudie, plus elles me semblent grandes et respectables.
Si j'ai tant insisté
À avoir avec votre demoiselle un entretien particulier,
C'est que je voulais sonder ses dispositions à cet égard
Et la prier de se bien préparer par une confession générale
Et recevoir les bondances de bénédictions

Qui y sont attachées.»
À ces mots, la mère ne put retenir ses larmes!
Elle se jette dans les bras du vertueux médecin
Et lui dit en le tenant serré contre son coeur:
«Eh bien, mon fils, nous communierons tous ensemble.
Allez voir votre épouse et dites-lui bien
Que je vous ai appelé mon fils.
Allez, pieux jeune homme!
Vos sentiments me répondent de votre bonheur
Et de celui de ma fille.»
Mais le pieux docteur ne se borna pas là:
Pendant huit jours,
Le saint sacrifice de la messe fut célébré.
Mais ce qui fut de plus beau et de plus attendrissant
Fut de voir le jour même du mariage:
Les deux époux à table sainte,
L'un environné de son respectable père et de sa mère en pleurs,
L'autre de sa mère et de sa grand-mère qui reçurent tout ensemble
la sainte communion.
Quel bel exemple pour tant de jeunes gens!
Quelle leçon pour tant de parents indifférents ou impies!
Ah! Si toutes les unions ressemblaient à celle-ci,
Que la société serait heureuse et tranquille.

Malgré les quelques semaines que ça m'a pris à me rappeler tous les mots de cette ancienne déclamation, j'en suis venue à bout. Si je m'en souviens encore, c'est qu'elle a dû bien s'imprégner dans ma mémoire, car je ne l'ai jamais vue écrite.

Nos parents exerçaient sur nous une grande influence durant notre jeunesse. Pour moi, il n'était pas question de ne pas «faire» ma religion: ne pas faire sa religion, c'était être fini. On savait quand on était jeune qu'il fallait faire plaisir à nos parents. Nous, les jeunes filles, on savait aussi que notre rôle dans la vie était de nous marier, d'avoir des enfants et de garder maison[33]. Les «vieilles filles»[34] étaient très rares; les filles se mariaient toutes.

À Saint-Patrick, il n'était pas question de marier un étranger parce qu'on connaissait tout le monde. Nos copains de jeux deviendraient peut-être un jour nos maris. Il faut dire, par exemple, que pendant notre adolescence, on avait les idées bien différentes des jeunes d'aujourd'hui. Il n'y avait pas de télévision pour nous entraîner à la méchanceté. Je me souviens qu'à treize ou quatorze ans, les grands garçons et les grandes filles jouaient à la cachette ensemble, même à la grosse brunante, et il n'était jamais question d'avoir les idées ailleurs - on jouait à la cachette!

Il ne faut pas oublier que c'était l'ère victorienne. Je vous dis que les modes étaient très différentes: il fallait que les contours soient bien cachés. Quand j'ai atteint l'âge de douze ans, ma mère m'a dit: «Faut que je t'achète un corset pour avoir bonne mine!» Alors, comme toutes les jeunes filles de l'époque, j'ai porté des corsets avec support en acier. Puisqu'il ne fallait pas que le buste paraisse, on portait aussi un cache-corset avec des fanfreluches en avant. Nos robes avaient toujours une tournure en arrière: c'était un rembourrage sous la robe et en bas du dos. On était très modestes. Quand j'ai eu peut-être seize ou dix-sept ans, les modes ont changé. On avait encore des collets jusqu'aux oreilles et des jupes jusqu'à la cheville, mais on pouvait avoir les manches jusqu'aux coudes.

Nous, les jeunes filles, on avait tout de même certaines idées romantiques. Si on voyait une nouvelle lune, on disait:

«Belle lune,
Belle jolie lune,
Fais-moi rêver à celui que j'aime.
Celui que je verrai dans mon sommeil,
Je veux le voir à mon réveil.»

Nous étions complètement isolés dans notre petit coin du monde, mais il y avait tout un enseignement qui se faisait par le chant. À cette époque-là, les reportages des procès judiciaires de La Presse remplissaient des pages et des pages. On pouvait lire, mot pour mot,[35] tout ce que le juge et l'accusé avaient dit en Cour. Certaines personnes composaient des chansons d'après ces faits en les adaptant à des airs qui nous étaient familiers, mais souvent, c'étaient des complaintes trop lugubres pour jamais pouvoir devenir populaires. Ma mère aimait bien nous chanter ces complaintes et j'en ai retenu une qui se chantait sur l'air du cantique «Au sang que Dieu va répandre». Maman avait appris plusieurs chansons d'un M. Archambeault qui était venu enseigner à Saint-Patrick en 1890 et quand il était retourné à Montréal, il lui avait envoyé les paroles de la «Complainte du jeune meurtrier»:

39

Chantons la triste complainte
De ce jeune meurtrier
Qui n'a pas montré de crainte
Envers celle qu'il a tuée.

Cette pauvre demoiselle
S'en allait se promener,
Il est allé au-devant d'elle
C'était pour la meurtrier.

En arrivant auprès d'elle
Il lui dit: «Viens avec moi».
Cette fille qui était bien fidèle
Elle lui dit: «Recule-toi!»

Il lui dit d'un air sévère:
«Tu ne veux pas m'écouter!
Je laisse agir ma colère,
Je vais t'exterminer.»

En achevant ces paroles
D'un coup de poing la frappa,
Mais elle n'est pas tombée morte
Et elle se releva.

S'il n'avait pas pris une arme
Elle s'en serait échappée,
Mais il a pris une lame
Dans le cou, lui a enfoncée.

En voyant son sang qui coule
Lui survint une terreur,
Mais les démons les plus farouches
Lui aident à achever ce malheur.

Et après ce vilain traître
S'en est retourné chez-lui,
Regardant par la fenêtre
Croyant la voir du haut du puits.

Mais cette sainte victime
Du haut du ciel, elle le voit,
Elle lui pardonne son crime
Et tout ce qu'il lui a fait.

Quelle terrible catastrophe
Arrivée en un instant!
Il faut ranimer ses forces
En pensant à leurs parents.

De familles désolées
Sont ces deux familles-là:
L'une de la perte isolée
L'autre du triste trépas.

Le jeune homme doit subir
La cruelle exécution,
Mais aussi, vous devez dire
Il obtiendra son pardon.

Sa soeur qui est religieuse
Quand elle a su tout cela,
Elle qui est toujours pieuse,
Cela la mènera au trépas.

N'oublions donc pas sa mère
Qui s'est trouvée aux émois
Voyant son fils aux galères
Et à la plus cruelle des lois.

Sa soeur lui écrit une lettre
De dire la vérité,
Elle lui dit de se soumettre
À la sainte volonté.

Elle lui donne un scapulaire
Et lui dit de tout déclarer
Lui disant: «Cléophas, espère!
Ton péché sera pardonné.»

Il s'est déclaré lui-même
À la veille d'être clairé[36]
Car la chose est trop extrême
Pour qu'il puisse s'en sauver.

«Oh! peuple, je vous recommande
De vouloir prier pour moi
Priez, priez donc sans cesse
Pour que Dieu m'ouvre ses bras.»

«Et vous, pauvre famille
Qui avez de l'honneur gardez-le bien,
Pour avoir tué une fille
Je suis rendu au dernier point.»

Voyons-le monter l'échelle,
Jusqu'au haut de l'échafaud,
Que chacun de tous les fidèles
Au Dieu juste adresse un mot.

Et le prêtre qui le conduit
Lui montrant le crucifix,
Lui disant «Cléophas, prie!
Ton péché te sera remis».

Sitôt que la trappe tombe
Ayons pour lui un soupir,
Son âme va dans l'autre monde
Le De Profundis, nous devons dire.

Le rôle de l'Église était d'une importance primordiale: on ne remettait jamais en cause ni la Foi en Dieu ni la sainteté de l'Église. Il était tout à fait interdit de dire quoi que soit contre les prêtres et on disait: «Qui mange du prêtre en meurt». Je me souviens que mon père nous avait raconté ce qui était arrivé à une femme qui avait parlé contre un prêtre qui ne se comportait pas bien: ce dernier avait même été renvoyé de sa paroisse. Papa nous avait raconté ceci: «Dans son dernier sermon, le prêtre avait prédit que la femme qui avait parlé contre lui serait trouvée morte et qu'elle se serait fait dévorer par des chiens... toute dévorée à part le dedans des

Monseigneur Eugène Geoffroy, premier curé de Perkinsfield en 1909

mains et le dessous des pieds». Mon père continuait d'un ton encore plus grave: «Un mois plus tard, cette femme a été trouvée toute dévorée, sauf le dedans des mains et le dessous des pieds!»

À mon idée, papa nous répétait des racontages. C'étaient des superstitions! Mais à l'âge qu'on avait quand on a entendu ça, ce genre d'histoire exerçait sur nous un contrôle absolu.

Dans le temps du père Roussin, la Fête-Dieu était toujours célébrée en grande pompe avec procession du saint sacrement et reposoir à différents endroits. Les préparations de cette fête demandaient la coopération de tous les paroissiens et tout le monde était heureux de faire sa part.

Avant le père Roussin, notre premier curé avait été le père Eugène Geoffroy. Il était arrivé en 1909. Monsieur le curé avait de grands talents d'administrateur, mais dans une petite paroisse comme la nôtre, il n'avait pas la chance de les faire valoir. Il fut envoyé à Ville-Marie au bord du Québec et là, il avait fait bâtir une église. Plus tard, il est devenu Monseigneur.

Pendant son séjour à Saint-Patrick, le père Geoffroy avait fait déménager le cimetière qui se trouvait là où est présentement le presbytère. En plus d'avoir fait bâtir le presbytère, c'est le père Geoffroy qui a fait changer le nom de la paroisse Saint-Patrick au nom de Perkinsfield. Paraît-il qu'il y avait une paroisse du même nom au Québec et cela causait beaucoup de confusion dans le courrier.

Quant notre curé voulut déménager le cimetière, il a demandé aux paroissiens de déménager les morts de leur propre famille. Quand vint notre tour, ma mère a demandé que l'on ouvre le tombeau de sa mère, Mme Éli Dault. Le corps de mémère[37] était

Monsieur le curé Ferdinand Roussin.

43

resté intact, mais elle était blanche comme de la neige. Dès que le corps prit l'air, il tomba en poussière. Cette scène n'avait duré que quelques instants, mais nous en avions été bien attristés. Ma mère avait été profondément chagrinée. Je me souviens que ce soir-là, personne n'avait voulu manger au souper.

Un an et demi plus tard, le père Geoffroy fut remplacé par le père Ferdinand Roussin. notre nouveau curé était un Breton de vingt-sept ans aux cheveux gris. Ce n'était pas rare d'avoir des prêtres de France et au début, ils avaient toujours un peu de difficultés à se faire comprendre.

Le père Roussin était bon prêtre, mais sa santé était précaire et son humeur changeante. Durant l'une de ses hospitalisations à l'hôpital Saint-Michel de Toronto, un Belge est venu le remplacer. C'était le père Pirot et il venait nous dire la messe du dimanche. Il arrivait en train le samedi et pendant le mois de mai, il célébrait le salut du saint sacrement, le soir même. Il en profitait aussi pour nous prêcher un sermon. Dans la paroisse, il y avait un homme assez âgé qui allait souvent en ville le samedi et qui revenait toujours «en fête», c'est-à-dire qu'il avait trop bu. Un bon samedi, cet homme revenait de la ville et en voyant le monde entrer à l'église, il se décide d'y entrer lui aussi. Pendant le sermon, le bon homme avec son trop de boisson s'est écrié tout haut: «Arrête, arrête!» Le père Pirot ne connaissait pas les gens de la place et il s'est arrêté très soudainement. Le bon vieux lui cria: «Viens prendre un coup, Archie!» Comme la femme et la famille du vieux avaient eu honte! Sa femme était terriblement humiliée devant toute la paroisse.

Dans ce temps-là, les gens étaient bien fiers de leur appartenance à telle ou telle lignée de descendance et ce sentiment se reflétait aussi dans les affiliations politiques: de père en fils et de mère en fille, on était soit libéral ou conservateur. Les élections étaient vraiment mouvementées, même au palier municipal. En 1911, quand Wilfrid Laurier avait voulu introduire la réciprocité avec les États-Unis, ça avait été bien chaud. Les hommes étaient bien rangés pour ou contre et ils se confrontaient puis se provoquaient au point de se battre! À la veille des élections, Arthur Desroches s'était battu avec un gars de Penetang et il s'était enfoncé les jointures à donner des coups de poing. Arthur connaissait le Dr Spohn et il savait que c'était un bon libéral. Arthur est donc allé lui raconter son histoire et le bon docteur libéral le soigna gratuitement!

Le Dr Bowman qui venait chez-nous, nous avait aussi raconté

ce qui était arrivé à Thomas Marchildon, le gardien du phare à l'Île-aux-Chrétiens. Thomas s'était fracturé les côtes en tombant d'une échelle et comme il n'y avait pas d'hôpital, il était allé passer sa convalescence chez son frère Hector à Penetang. C'était le temps des élections et les deux frères n'étaient pas du même avis quant à la réciprocité. Thomas était conservateur et Hector libéral. Hector recevait le journal La Patrie dans lequel on vantait toujours les mérites des libéraux et les méfaits des conservateurs. Hector en faisait la lecture à Thomas qui devait écouter en silence: ses côtes lui faisaient trop mal pour lui permettre de donner libre cours à sa colère.

Je me rappelle aussi d'avoir lu ce qui s'était passé à Verner quand les conservateurs avaient fait venir un orateur du Québec. Encouragés par Moïse Ducharme, originaire de Perkinsfield, les libéraux avaient décidé de donner à cet orateur une leçon qu'il n'oublierait jamais. Peut-être qu'ils étaient un peu réchauffés par la boisson; ce n'était pas rare en temps d'élections. Ils se sont emparé des fouets que les gens venus à l'assemblée avaient dans leur voiture. Lorsque l'orateur voulut retourner à sa voiture, ils l'en empêchèrent en le menaçant de fouetter. Ils le forcèrent même à crier «Hourra pour Laurier!».

À part le temps des élections, il n'y avait pas grand-chose qui se passait par chez-nous. J'avais dix-neuf ans en 1912 et je commençais à penser sérieusement aux choix que je devais faire dans la vie. J'avais eu des demandes en mariage, mais ça ne me tentait pas. À vrai dire, j'avais peur du mariage. C'est alors que je me suis décidée d'aller gagner ma vie dans la grande ville.

Chapitre IV
Ma vie de jeune femme
1912-1920

L e 20 janvier 1912, mon amie Flora Pilon et moi sommes parties pour la grande ville de Toronto. Je venais d'avoir dix-neuf ans, mais depuis longtemps, je rêvais de voir la grande ville. Les soeurs de ma mère étaient allées vivre à Montréal et j'étais toujours fascinée de les entendre raconter ce qui se passait là.

Elles avaient rencontré d'autres gens du nom de Dault et elles avaient adopté leur façon d'épeler le nom de mon grand-père: Dault devint soit Daoust ou D'Aoust.

Quand Tante Odile était allée à Montréal, elle avait travaillé comme domestique. Là, elle avait marié un policier, mais il était mort moins d'un

La soeur de maman, tante Odile Daoust Legendre 1871-1946

47

an après. Elle s'était donc en venue à Toronto où pendant plusieurs années, elle avait travaillé comme ménagère du père Lamarche à la paroisse Sacré-Coeur. Par après, elle s'est acheté une maison et elle s'est mise à prendre des pensionnaires. Oh! qu'elle a donc travaillé! Les jeunes qui arrivaient du Québec pour travailler dans les manufactures de cigares allaient chez le curé qui s'occupait de leur trouver un logement. Le père Lamarche avait bien connu tante Odile, donc il les envoyait pensionner chez-elle. Il y avait aussi d'autres jeunes qui se trouvaient une place à chambrer, mais sans pension.[38] Eux aussi se rendaient manger chez ma tante. À tous les midis, elle préparait jusqu'à soixante dîners à dix cents du repas. Je vous assure que tante Odile était débrouillarde! Elle a pu s'acheter une maison et ce n'est qu'après ça qu'elle s'est remariée à Ludger Legendre.

Puisque j'avais tante Odile chez qui aller demeurer à Toronto, mes parents trouvaient ça normal de me laisser y aller. Bien des filles étaient obligées d'aller gagner leur vie, mais moi, malgré qu'on n'était pas riche, j'aurais pu rester par chez-nous. Cependant, ça aurait été un peu embêtant de rester à Perkinsfield parce que je n'avais pas envie de me marier.

Quand je suis arrivée à Toronto, ça me semblait quasiment le commencement de ma vie! On avait vu les petites villes de Midland et de Penetang, mais on n'avait jamais imaginé l'immensité de la grande ville! Quand on est arrivées à la gare Union, on avait déjà à l'idée de ménager nos sous: il n'était pas question de prendre le tramway pour se rendre chez ma tante. On s'est renseignées auprès des gens et certains nous disaient qu'il fallait aller par ici et d'autres disaient par là. Enfin, on s'est rendues sans trop de difficultés, mais on avait quand même bien marché.

Pendant les quelques premières semaines, Flora et moi avons dû louer une chambre dans une maison de pension en attendant que ma tante en ait une de libre pour nous. Dès qu'on s'en est trouvé une à 3,25$ de loyer par semaine, il nous a fallu chercher de l'ouvrage le plus tôt possible. On avait très peu d'argent. Le jour même, on s'est mises à parcourir les annonces du journal et on a réussi à se faire embaucher à la Imperial Cheese Factory au salaire de 4,50$ par semaine. Cela voulait dire qu'après avoir payé notre chambre et pension, il nous restait 1,25$ pour nos dépenses personnelles. De toute façon, je ne calculais pas faire fortune à Toronto; c'était plutôt une façon intéressante de passer l'hiver.

J'avais l'idée de m'en retourner chez-nous au printemps parce que je savais qu'à l'été, mes parents auraient besoin de moi.

À notre arrivée à Toronto, on était très peureuses, Flora et moi. On n'avait pas de clé pour notre chambre et comme c'était avant l'électricité, il faisait très noir. On barricadait notre porte avec une chaise et une petite table qui faisaient juste entre la garde-robe et la porte. Un soir, quelqu'un frappa à notre porte. Malgré notre peur, on s'est débarricadées. C'était un garçon qui voulait des allumettes pour allumer le jet de gaz. Dans son énervement, Flora ne lui a donné qu'une seule allumette. Quand le garçon est reparti, je me suis mise à rire et j'ai dit à Flora: «J'espère que son allumette ne s'éteindra pas avant qu'il ait allumé son gaz et j'espère qu'il n'aura pas besoin de lumière pendant la nuit!» Plus tard, nous avons fait la connaissance de ce garçon et il nous a avoué qu'il avait employé cette ruse pour nous rencontrer.

Les filles et les garçons avec qui nous travaillions à la Imperial Cheese étaient tout étonnés de voir des descendantes de nationalité française aussi blondes que nous. Les gens s'imaginaient que les Canadiennes-françaises étaient toutes très brunes. Ils trouvaient ça inconcevable que nous ayons passé deux siècles et demi au Canada sans nous être mêlées au peuple amérindien. De notre côté, nous étions aussi naïves qu'eux. On s'imaginait que mon oncle et ma tante étaient les seules personnes qui parlaient français à Toronto. Or, il y avait dans notre maison de pension, un jeune et beau garçon qu'on trouvait bien à notre goût. On se permettait de discuter de son apparence physique en sa présence pensant qu'il ne comprenait rien. Un jour, il est disparu et un mois plus tard, je l'ai rencontré dans la rue. Il leva son chapeau et me dit: «Bonjour, Mademoiselle.» J'ai failli en tomber morte!

Après trois semaines à la Imperial Cheese, on en avait assez de coller des étiquettes sur des pots de fromage. Avec Flora, je suis allée à la manufacture Eaton et là, on nous garantissait 6$ par semaine comme couturières. On a tout de suite commencé à coudre des vêtements pour femmes au salaire de 1,50$ pour une robe de noces et de 75¢ à 85¢ pour une robe ordinaire. On travaillait très fort et chaque soir, j'avais un point très douloureux au dos.

À ce temps-ci de ma vie, je n'étais pas trop sérieuse, mais j'étais quand même très religieuse. Comme mes parents, je ne manquais jamais la messe du premier vendredi du mois et comme eux, j'allais

49

toujours à la confesse avant de communier.

La première fois où j'ai voulu aller à la confesse à Toronto, ma tante me conseilla d'aller à la cathédrale Saint-Michel. L'église canadienne se trouvait pas mal plus loin et ma tante me disait qu'il y avait un prêtre qui confessait en français à Saint-Michel. J'y suis donc allée. Je ne sais pas si ce prêtre ne m'a pas comprise, mais à la fin, il m'a dit: «Say your rosary.» Comme j'avais toujours su qu'un rosaire voulait dire trois chapelets, j'en ai récité trois. Ensuite, je suis allée dire à Flora: «Va pas là! Tu vas avoir trois chapelets!»

Quand on est allées demeurer chez ma tante, notre petit monde s'est ouvert à beaucoup de nouveaux horizons. En plus de ma cousine Marie-Hélène D'Aoust qui pensionnait chez tante Odile, il y avait deux jeunes Français, Paul Pouy et Henri Arrivetz. Un Belge du nom de Charles Hoogstool venait aussi veiller avec nous tous les soirs de la semaine. Un quatrième garçon, Emmanuel Rochereau, vicomte et fils du comte Rochereau qui était consul de France au Canada, à l'époque, venait aussi prendre des leçons de philosophie de M. Arrivetz.

Tous ces garçons travaillaient à la compagnie The Gendron Mfg., manufacture de carrosses et de chaises en jonc. C'était le

À Montréal, jai eu 25 ans en décembre 1917

comte Rochereau qui avait acheté ce commerce et les garçons y ravaillaient à 17$ par semaine. Ils étaient tous bien instruits, mais cela ne leur était guère utile au Canada.

Un soir, nous les trois filles, on s'est décidées d'aller au cinéma, ce que tout le monde appelait le «5¢ show» d'après le prix d'admission. Pour paraître plus chic, Marie Plante nous suggéra de faire accroire aux garçons que nous allions au théâtre. À la fin du film et à notre grande surprise, les trois gars étaient assis derrière nous! Je vous assure que nous avons fait rire de nous. Ce fut ma première et dernière fois au cinéma cet hiver-là: cinq cents, je trouvais que c'était un gros montant pour une dépense aussi inutile. Les films étaient en noir et blanc, et l'action se déroulait si vite qu'on n'avait pas le temps de lire tous les sous-titres. Ça ne valait pas la peine parce qu'on finissait par manquer des bons bouts de l'histoire.

C'est après cet épisode du cinéma que les garçons ont décidé de nous amener à l'opéra. Ils nous ont amenées voir «La damnation de Faust» et je n'en revenais pas! Tous ces beaux costumes et du si beau chant! Je ne l'oublierai jamais!

C'était mon premier hiver à Toronto et j'étais fortement impressionnée par tant de choses. Je me souviens surtout du 14 avril. À cette date, les journaux nous apprenaient que le plus gros bateau au monde, le Titanic, avait frappé un glacier au sud-est de Halifax. Ce jour-là, il y avait des feuilles de journaux affichées partout sur les poteaux dans les rues de Toronto. Comme il n'y avait ni radio ni télévision, les gens se groupaient tous autour des poteaux pour lire les nouvelles tragiques du premier voyage du Titanic. On lisait qu'à quatre heures du matin, pendant que tous les passagers à bord étaient en train de danser et de s'amuser, le bateau du White Star Line avait péri: 1 595 victimes. Un autre 745 personnes avaient réussi à monter dans des bateaux de sauvetage. On disait aussi que la fanfare avait joué «Nearer My God To Thee» jusqu'au moment où les musiciens avaient eu de l'eau jusqu'à la taille. Pour nous, c'était un grand choc que d'apprendre cette nouvelle.

Après avoir passé l'hiver dans la grande ville, Flora et moi avions épargné assez d'argent pour pouvoir nous acheter chacune un nouveau costume avant de retourner par chez-nous. On les avait payés 15$ et pour compléter notre toilette,[39] on s'était acheté chacune un nouveau chapeau. Dans ce temps-là, il fallait toujours porter un chapeau, même pour aller travailler. C'était aussi la coutume de porter son chapeau neuf le jour de Pâques. Cette année-là, on prenait le train pour Penetang une semaine après Pâques.

Peu de temps après mon retour à Perkinsfield, mon père a vendu la ferme à mon frère Mike et il a acheté le magasin de M. Jos Gignac, en face de l'église. À trois maisons plus loin, il y avait un autre magasin qui appartenait à Mme François Bourgeois. Elle s'occupait aussi du bureau de poste. Afin d'éliminer la compétition, mon père a aussi acheté ce deuxième magasin.

Du printemps de 1912 jusqu'à l'automne de 1916, je travaillais au magasin avec mes parents et je demeurais à la maison. En 1913, les affaires marchaient au ralenti et l'ouvrage commençait à se faire rare partout. Pendant qu'on s'occupait du magasin ma mère et moi, mon père s'était trouvé de l'ouvrage ailleurs. Il a travaillé entre autres pour un M. Gould de Midland. Cet homme achetait des animaux, du grain et des patates chez les fermiers. Papa était responsable de dire aux gens quand amener leurs bêtes ainsi que de les charger à la station qui se trouvait à un mille de chez-nous.

C'était surtout dans les grandes villes que les gens souffraient du chômage. Quand on déclara la Guerre mondiale au mois d'août 1914, les garçons des villes essayaient de se trouver de l'ouvrage chez les fermiers afin de ne pas devoir s'enrôler. Napoléon Pilon et André Giroux s'étaient enrôlés volontairement et ils portaient tous deux l'uniforme kaki. Je ne sais pas s'ils avaient été attirés par l'uniforme ou si c'était à cause du manque d'ouvrage, mais ils ont déserté tous les deux. Personne ne les a jamais revus, même pas leur famille.

On entendait beaucoup de chansons patriotiques pendant la guerre: «We'll Never Let The Old Flag Fall» et «It's A Long Way To Tipperary». Tout le monde au magasin me chantait «Oh! Frenchie» parce que je parlais français. À Perkinsfield, les fils de cultivateurs étaient exemptés d'aller à la guerre. Cependant, je me souviens qu'Emmanuel Pelletier avait perdu la vie au front. Dans le temps, on disait qu'il avait été envoyé au front après une seule semaine d'entraînement. À part une petite poignée d'entre eux, tous les soldats de son 22e régiment avaient été tués. Par les journaux, j'ai aussi appris que notre ami belge, Charles Hoogstool, était lui aussi mort au front. Plus tard, j'ai revu Paul Pouy qui portait l'uniforme français: lui et le vicomte Rochereau faisaient du recrutement au Canada.

En 1915, mon père a vendu son magasin à un M. O'Connor de Midland. Papa avait fait un bon profit et il avait acheté deux terres qui s'aboutaient: une dans la huitième concession et l'autre dans la neuvième. J'ai continué à travailler au magasin de M. O'Connor où j'étais payée 3$ par semaine pour aider sa femme. Ce n'était pas un gros salaire, mais je me trouvais chanceuse. Je connaissais Joséphine Forget et je savais qu'elle travaillait à 3$ par mois, logée et nourrie. Elle devait s'occuper d'une maisonnée de douze à quinze enfants ainsi que des grands-parents.

Le 15 octobre 1915, par une journée aussi magnifique qu'une journée chaude de l'été, mon frère Johnny épousa Hortense Bazinet. Elle venait de Penetang et elle n'avait que seize ans. Mes parents qui vivaient sur leur terre de la neuvième concession, ont laissé Johnny et sa nouvelle mariée aller vivre dans leur autre maison à la huit.

À l'automne de 1916, Flora et moi, on a décidé de retourner à Toronto. La vie de campagne était un peu trop paisible pour nous, car les garçons et les filles de notre âge étaient tous mariés. On était considérées vieilles filles.

Les années entre 1912 et 1916 avaient dû me paraître longues, car en arrivant à Toronto, j'étais tout étonnée de reconnaître les filles avec qui j'avais travaillé quatre ans plus tôt! Encore une fois, je suis retounée travailler chez Eaton, mais je trouvais cet ouvrage trop dur. Avec Flora, je suis allée travailler à l'Hôtel Windermere. C'était un hôtel privé ou plutôt, une pension chic sur la rue Jarvis. En 1916, la rue Jarvis était située dans un très beau quartier de la ville. À cet hôtel, on ne servait pas de boisson et on n'offrait que les déjeuners. Les pensionnaires étaient des gens d'affaires qui prenaient leurs repas en ville.

On était vraiment bien à cet endroit, mais on n'était pas assez fines pour y rester. Pendant que Flora s'est prise un emploi dans une manufacture d'obus, moi, je pensais faire mieux et paraître plus chic en prenant un emploi comme traductrice chez Eaton. Je devais avoir du front tout le tour de la tête,[40] car j'avais très peu d'instruction en français. Comme de raison, ce n'était pas de la traduction mot à mot; il fallait tout simplement dire si la marchandise devait être échangée ou reprise. Je m'en tirais bien, car je comprenais ce que je lisais et devais écrire en anglais. C'était à l'époque où la compagnie Eaton commençait à faire des affaires avec le Québec et c'était amusant de lire certaines lettres. Par exemple, j'avais ouvert une lettre: «Monsieur Eaton, Je pense que ce n'est pas vous-même qui avez rempli ma commande cette fois-ci parce que c'est loin d'être aussi bien que d'habitude...»

Je gagnais 10$ par semaine chez Eaton. Après avoir payé ma chambre et pension, il me restait moins d'argent que lorsque je travaillais à l'Hôtel Windermere. Mais au moins, je n'avais pas ce point brûlant au dos à faire de la couture toute la journée.

Dans ce temps-là, on n'avait pas peur des gens comme on a bien raison d'en avoir peur aujourd'hui. Les hommes qu'on rencontrait étaient toujours respectueux et polis. Au printemps de 1917, on est allées, Flora et moi, dans un magasin de chaussures sur la rue Yonge. Il y avait beaucoup de monde dans le magasin et les vendeurs étaient très pressés.

J'ai dû tomber dans l'oeil de l'un d'eux,[41] car il prit le temps de venir me demander si je voulais sortir avec lui. Je n'en avais pas du tout envie, mais je lui ai répondu que «oui». Vitement, il me passe un bout de papier et me demande d'écrire mon nom, mon adresse et mon numéro de téléphone. J'ai écrit mon numéro de téléphone, mais pour lui jouer un tour, je lui ai donné l'adresse et le nom d'Ida Pilon, la soeur de Flora. Ida demeurait avec une autre fille sur une autre rue. Plus tard pendant la semaine, le dimanche soir, Monsieur me téléphone et me demande s'il pouvait venir veiller. Je lui ai dit que «oui», il pouvait venir. Quand il est arrivé chez Ida, il s'est vite aperçu qu'il se trompait de jeune fille. En voyant le numéro de téléphone qu'il avait à la main, Ida lui a aussitôt donné mon adresse, mais il n'a pas osé venir. Je ne sais pas ce que j'avais en tête de prendre tant plaisir à jouer de tels tours. Je vous dis que j'ai entendu parler de cette histoire pendant longtemps!

En 1917, j'avais rencontré un très gentil jeune homme qui étudiait pour devenir ministre anglican. Lorsqu'il se mit à me parler de changer de religion, j'ai vite mis fin aux fréquentations. La religion catholique était celle dans laquelle j'avais grandi et nos parents nous avaient bien instruits de toujours la garder. C'était plus important pour moi que les affaires de coeur. Si jamais j'allais me marier, ce serait avec un bon catholique parce que je savais qu'il y aurait les enfants à élever.

Pour nous divertir, Flora et moi allions à des bazars à l'église canadienne. Là, il y avait aussi des concerts et on avait l'occasion de rencontrer des francophones. Flora avait un ami, un M. Duguay qui était bien en amour, mais elle avait un ami sérieux à Montréal. Quand elle mit fin aux fréquentations avec M. Duguay, il est venu me conter ses peines. J'ai dû avoir l'air sympathique parce qu'il m'a demandée en mariage à mon tour!

Au printemps de cette même année, en 1917, je suis retournée à la maison de mes parents. Ma mère n'avait pas une bonne santé et elle souffrait beaucoup, l'hiver. Mes parents étaient alors déménagés à Port McNicoll, petite ville à quinze milles de Perkinsfield. Mon père avait laissé Johnny travailler sa terre à Perkinsfield et il s'était trouvé un emploi à Port McMicoll. Il travaillait à réparer des bateaux avec M. Thomas Maurice.

À Port McNicoll, la vie n'était pas la même qu'à la campagne. Peu de gens faisaient un jardin et les magasins ne gardaient pas de légumes frais. Comme on s'ennuyait de la laitue, des radis et des petits oignons verts si délicieux au printemps! Cependant, ne pas avoir de jardin voulait dire beaucoup moins de travail et j'ai passé un merveilleux été. À vrai dire, ce fut le seul été de ma vie où je me suis vraiment divertie et le dernier été que je passais avec ma soeur. Thérèse était entrée chez les Soeurs de Saint-Joseph à l'âge de quinze ans, mais elle a passé ses deux mois d'été chez-nous avant d'entrer au noviciat.

Thérèse n'avait que dix-sept ans et elle était très belle. Comme elle n'avait pas encore pris l'habit chez les Soeurs, elle avait eu deux demandes en mariage cet été-là: une de Jack Allen et l'autre de Tony Tersigni. Mais Thérèse n'avait aucune intention d'accepter des propositions en mariage. Elle était comme un poisson hors de l'eau quand elle n'était pas au couvent.

Tony était plutôt

En 1917, on faisait du gros 30 milles à l'heure! Mon frère Joseph au volant et Napoléon Belcourt, fils de Xavier

tranquille et gêné, mais un jour, il avait mis sa gêne de côté et il avait demandé Thérèse en mariage. Il avait même essayé de la persuader en lui disant que son frère Jos avait l'intention de me marier! Jos nous amenait souvent faire des promenades dans sa belle auto neuve et ces excursions en auto avec les Tersigni étaient très amusantes. On allait à Perkinsfield et même jusqu'à Lafontaine. Un jour, en revenant de Lafontaine, on a rencontré Roch Pilon.

En haut: le dernier été passé avec ma soeur Thérèse avant qu'elle prenne l'habit chez les Soeurs de Saint-Joseph en 1918. À droite: Thérèse est devenue Soeur Médard. Elle célèbre ses 70 ans de vie religieuse en 1988.

Roch était notre cousin et il avait lui aussi une auto neuve. Roch et Jos se sont mis à courser et croyez-le ou non, ils faisaient du gros trente milles à l'heure! C'était très rapide pour ces chemins-là!

Chez M. Maurice, le patron de mon père, il y avait quatre filles: Odélide qui est devenue religieuse chez les Soeurs de l'Hôtel-Dieu à Québec, Valentine, Léonide et Lorenza. Les Maurice avaient aussi un grand ami, M. Edmond Bossé. Il nous sortait souvent et nous aimions bien sa compagnie. Il était âgé de quarante-huit ans et avait les cheveux tout blancs. Il était très instruit et il nous a enseigné plusieurs chansons. J'ai même un poème écrit de sa main qu'il avait intitulé «Mon Miserere»:

«Et je souffre Seigneur!
Mon âme repentie
Accepte de Vos mains
Ce juste châtiment.
Mais ne permettez pas
Qu'un instant de folie,
Me séparant de Vous,
Achève mon tourment.
Je n'espère plus rien
Des faveurs de ce monde.
Mes nuits sont sans sommeil
Et mes jours sans plaisir.
Mais j'ai gardé la Foi
Dans ma douleur profonde.
Laissez-moi croire en Vous,
Vous aimer, Vous bénir.

24 juillet 1917
Port McNicoll (Ontario)
E. B.

Quelques années plus tard, j'ai appris que ce M. Bossé que nous avions tant aimé, était prêtre trappiste à Oka. Il était à la Trappe de Winnipeg quand il est mort en disant sa messe.

Pendant qu'on était à Port McNicoll cet été-là, ma cousine Marie-Hélène D'Aoust épousa Ernest Plante. Ernest alla se marier à Penetang et il demanda à M. Bossé de lui servir de père. Le dîner de noces eut lieu chez le père de Marie-Hélène, mon oncle Joseph Dault. Dans l'après-midi, après avoir reconduit les mariés au train, M. Bossé a eu envie de venir me chercher. Comme il ne sortait jamais seul avec une jeune fille, il a aussi demandé Lorenza Maurice de l'accompagner. Ce soir-là, j'étais invitée à d'autres noces chez les Morin. M. Bossé était déjà en grande tenue et il me dit: «Je vais acheter un cadeau et nous irons aux noces chez Morin.» J'étais bien contente, car je n'aurais pas pu me rendre aux noces, seule.

En arrivant chez mes amis, M. Morin vint rencontrer M. Bossé à la porte et lui demanda qui il était. M. Bossé s'est nommé et il ajouta qu'il m'accompagnait. M. Morin lui dit d'un ton très sec: «Mlle Asselin est invitée avec son frère. Vous n'avez pas d'affaires ici.» Nous avons dû repartir sans que M. Morin s'aperçoive que Lorenza et notre chauffeur étaient avec nous. J'ai su par après que Mme Morin et son fils Albert avaient été bien déçus.

Ce n'était pas facile d'être célibataire à vingt-quatre ans. J'avais encore mon frère avec qui sortir mais sans lui, je savais que ce serait toujours interdit de sortir, seule. Ainsi, je me suis décidée de partir travailler ailleurs.

Cette fois-ci, c'est Montréal que je voulais voir. Depuis longtemps, la sœur de maman, tante Joséphine Boulanger, voulait absolument que j'aille demeurer là avec elle. Elle n'avait pas de famille et son mari qui était chef ingénieur sur les bateaux de guerre, était rarement à la maison. C'est alors qu'au mois de novembre, j'ai quitté Port McNicoll pour Montréal.

Montréal! Que c'était donc plus agréable que Toronto! Dès mon arrivée, j'ai vu la différence dans les tramways. À Toronto, les gens avaient tous l'air d'aller à un enterrement, mais à Montréal, les gens étaient affables et joyeux. Un jour, en montant dans le tramway, tout le monde était resté près de la porte afin de pouvoir sortir au plus tôt. Le conducteur leur dit d'une voix forte: «Allez donc vous asseoir en arrière comme vous le faites à l'église!» Des farces de ce genre n'étaient pas rares. Les gens avaient la joie de vivre! Même dans les rues, les vendeurs de légumes composaient

M. Edmond Bossé. À gauche: Léonide Maurice, fille de Thomas Maurice et de Lydia Robitaille. À droite: Marie Asselin à 24 ans.

des chansons pour annoncer les produits qu'ils avaient à vendre.

Montréal était une ville bien chaleureuse. Cependant, je ne pouvais pas trouver le même genre d'emploi que j'avais eu à Toronto et j'ai dû prendre deux emplois à temps partiel. L'après-midi, j'étais «nurse maid»[42] chez une Mme Brock. C'était plutôt un après-midi de plaisir que d'ouvrage: je sortais une petite fille de six ans et à tous les jours de deux à quatre heures, je l'amenais glisser sur une côte près de l'Université McGill. Je rencontrais d'autres filles anglophones qui faisaient le même ouvrage et c'était amusant. Le soir, de huit heures à minuit, je travaillais dans un «tea room» de l'édifice Drummond, à l'angle des rues Sainte-Catherine et Peel. Là, il y avait un orchestre et de la danse de neuf heures à minuit. On n'y servait aucune boisson et il n'était pas permis aux femmes de fumer. Si l'on voyait une femme s'allumer une cigarette, il fallait tout de suite aller lui dire de l'éteindre.

Durant l'hiver de 1917, il y eut une élection fédérale. Les candidats étaient Sir Wilfrid Laurier et Sir Robert Borden. Borden voulait introduire la conscription tandis que Laurier s'y opposait et tout le Canada à l'exception du Québec était en faveur de la conscription. Laurier eut la majorité au Québec, mais Borden fut élu avec un gouvernement minoritaire. Henri Bourassa, du parti nationaliste, finit par se ranger avec Borden et la conscription eut lieu. Par chez-nous en Ontario, les vieux Canadiens ont par la suite baptisé Bourassa de «Judas».

De temps à autre, à Montréal, des policiers de l'armée venaient faire des descentes à la recherche des jeunes hommes qui ne s'étaient pas rapportés. Dans les rues, on voyait des groupes de garçons accompagnés de policiers qui les avaient attrapés. Ils marchaient tous la tête basse et ça faisait bien pitié de les voir.

Cet hiver-là, j'avais aussi rencontré chez des amis, un M. Charles Brodeur. Il venait de temps en temps là où je travaillais. Il était bien gentil et je me disais qu'il serait un bon homme à marier. Comme il était notaire, il aurait sûrement pu m'assurer une vie assez confortable, mais je manquais beaucoup de confiance en moi. Je me disais qu'il aurait peut-être honte de moi, à la longue parce qu'il était bien instruit. Moi, je n'étais allée à l'école que six ans. Ce manque de confiance en moi-même datait de mon enfance. Quand j'étais petite, on allait en ville et on se faisait souvent crier «Hello farmer» On était peut-être pas aussi bien habillés que les gens des villes, mais étant de famille de cultivateurs, on avait des

tas de connaissances que ces gens de ville n'avaient pas.

Charles Brodeur me faisait bien rire et il me racontait toutes sortes d'histoires. Mais moi, je ne voulais pas m'amouracher [43] de lui. Au moment où je devais quitter Montréal pour retourner chez-nous au printemps, Charles Brodeur reçut son appel militaire. Comme j'étais curieuse de savoir s'il avait passé son examen, je lui ai donc écrit une lettre lui demandant de ses nouvelles. Il m'a répondu: «J'ai réussi avec la médecine à enterrer les médecins, sachant que je suis condamné à mourir et que dans soixante-seize ans et six mois, je ne penserai plus à vous.» C'était une réponse pas mal embrouillante!

L'hiver de 1917-1918 passa tant bien que mal et au printemps, je suis revenue chez-nous. Le 28 juin, mon frère Johnny est mort après une très courte maladie. Au début, les médecins pensaient qu'il avait un clou derrière l'oreille, mais c'était seulement un tout petit bouton violet. Il n'a été malade que trois jours avant de mourir.

Mon frère Johnny à 14 ans, 1890-1918

Ce fut une perte très triste pour nous et pour sa femme. Les médecins ne savaient pas au juste ce qu'il avait eu, mais à l'automne de la même année, la grippe espagnole a commencé à faire des victimes. Johnny avait peut-être souffert de ça lui aussi. Le jour de ses funérailles, le 1er juillet, il tombait des flocons de neige. J'étais profondément attristée de penser que Johnny, mon frère avec qui je m'étais tant amusée, ne serait plus parmi nous. Il laissait son épouse Hortense et son fils Lionel. Hortense était enceinte et elle mit au monde un deuxième fils qu'elle appela Raymond Jean Asselin.

Cet automne-là, le 11 novembre, l'armistice mettait fin à la Grande Guerre. Depuis des années, les noms des soldats morts sur les champs de bataille remplissaient des pages et des pages de journaux. À cette époque, nous étions retournés vivre à Perkinsfield et notre maison se trouvait à deux ou trois cents verges de la voie ferrée. Ce jour de l'armistice, on entendait venir le train de Toronto longtemps avant de pouvoir le voir. Le sifflet criait sans arrêt et on pensait qu'il devait y avoir des vaches ou des moutons sur la voie ferrée. Mais quand on est sorti voir ce qui se passait, on pouvait voir tous les passagers qui agitaient des mouchoirs blancs par les fenêtres ouvertes. C'est ainsi qu'on apprenait que la guerre était finie! Le train continua à crier jusqu'à Penetang, annonçant partout la bonne nouvelle.

Peu après, je suis retournée à Montréal pour y passer l'hiver. Au lieu de travailler chez Mme Brock, j'étais serveuse dans le «grill room» chez Bryson. Je travaillais de midi à minuit. Le dimanche soir, j'étais toujours invitée chez mon oncle Jos Brasseur, marié à la soeur de ma mère, tante Rébecca. Parfois, j'allais voir Flora chez Pierre Leblanc où elle pensionnait. Quand on travaille le soir, rien d'excitant ne se passe. Il y avait toujours mon notaire qui venait au restaurant le midi, le soir pour souper et pendant la veillée. Il ne m'a jamais demandé de sortir avec lui, donc je n'ai jamais eu à lui refuser.

Les filles avec qui je travaillais chez Bryson m'ont demandé si je n'étais pas intéressée à aller travailler à l'Hôtel Tadoussac, l'été suivant. Ça ne payait pas beaucoup, mais c'était un moyen de faire un très beau voyage. Je me disais que c'était probablement la seule chance que j'aurais d'aller par là. Alors, je fis tout de suite ma demande et on m'a répondu qu'on me prenait.

Encore une fois, je revenais chez-nous au printemps de 1919.

Mon frère Joseph se mariait le 29 avril. Lui et sa nouvelle épouse, Réséda Brunelle, resteraient sur la ferme tandis que nous, comme d'habitude, on déménagerait.

Joseph était le dernier fils à se marier et comme ce fut le cas pour ses frères Mike et Johnny, mon père essaya de le partir[44] dans la vie. C'était la façon dans le temps: les cultivateurs aidaient leurs fils autant qu'ils le pouvaient en les plaçant sur des terres. Ils donnaient à leurs garçons une terre, avec une hypothèque sans doute, deux chevaux, une ou deux vaches et quelques machines. Les filles recevaient habituellement une vache et un mobilier de chambre à coucher, ordinairement de «seconde main».

Quand Joseph s'est établi sur la ferme à Perkinsfield, c'est à Penetang que mes parents ont choisi d'aller vivre. Ils étaient déménagés si souvent que ma mère en faisait des farces. Elle disait: «Nos poules sont tellement habituées de déménager que si elles nous voient entrer dans le poulailler, elles se jettent toutes sur le côté pour se faire attacher les pattes!»

Au lieu de rester à Penetang avec mes parents, je partais pour Tadoussac à la fin juin. Je me suis rendue prendre le bateau à Toronto. Au cours du trajet de Toronto à Montréal, nous avons descendu des rapides dont j'ignore la hauteur et c'était la première fois que j'avais cette expérience. J'étais saisie de l'esprit d'aventure!

C'était le dimanche matin quand nous sommes arrivés à Québec. On nous annonça qu'on avait le temps de se rendre à la messe à la Citadelle. À onze heures, le bateau partait pour Tadoussac et c'était un trajet de sept heures.

Pendant ma première semaine à Tadoussac, je pourrais dire que pour la première fois depuis mon enfance, je n'avais absolument rien à faire. Les touristes n'étaient pas encore arrivés. Alors, on faisait la grosse paresse. La semaine suivante et jusqu'à la fin de l'été, la routine était à peu près toujours la même: on n'avait qu'une seule table à servir à chaque repas. Le maître d'hôtel était très bon pour nous. Lorsque notre table était préparée, on pouvait se réunir dans la salle à manger des enfants pour faire ce qui nous plaisait: soit tricoter, crocheter ou jaser. Quand notre table se remplissait, le maître d'hôtel venait nous chercher. Il fallait ensuite demeurer près de notre table tant qu'il y avait quelqu'un.

Le service était excellent à l'Hôtel Tadoussac. Nous, les

serveuses, on gagnait 18$ par mois. Mes pourboires de l'été étaient d'environ 20$, mais je me suis fait voler tout ça avant mon départ. Qu'importe, j'avais passé un été magnifique et c'est toujours avec plaisir que je repense à ces jours-là.

Quarante-deux ans plus tard, en 1961, mon rêve de revoir Tadoussac s'est réalisé. J'ai été bien déçue de voir comme tout avait changé. Quand j'étais là, l'hôtel n'était accessible que par bateau et maintenant, il y a une route qui va de Chicoutimi à Tadoussac. Cette route a bien changé l'aspect retiré de cet endroit. Tadoussac, tel que je l'avais connue, c'était merveilleux. C'était au bord de la mer et il y avait souvent du brouillard. Je me souviens, le matin de notre départ, le brouillard était si épais que le bateau n'était qu'à cinquante pieds du quai avant qu'on ait pu le voir. La «corne» se faisait entendre continuellement. Tard dans l'avant-midi, le brouillard s'était levé et nous avions fait un très beau voyage. Ce soir-là, j'étais assise avec deux autres filles et l'une d'elles avait dit: «Chantons?» On s'est mises à chanter «Partons la mer est belle» et peu à peu, les autres passagers se sont approchés pour nous entendre. Un des membres de l'équipage est venu dire à la foule de se disperser parce que le bateau penchait trop de notre côté. Quels souvenirs!

Quand nous sommes arrivées à Montréal, le lendemain matin, c'était la fête du Travail. Sur la rue Sainte-Catherine, la circulation était bloquée par la procession des travaillants: tous les corps de métier étaient représentés. C'était un spectacle bien impressionnant. Je me suis assise sur ma malle et pendant une heure, j'ai pris plaisir à regarder ce défilé.

À Tadoussac, j'avais rencontré un étudiant en médecine qui travaillait aussi à servir aux tables sur le bateau. Je lui avais parlé en allant et en revenant, et avant de débarquer du bateau, il m'avait demandé si je ne sortirais pas avec lui le lendemain soir à Montréal. J'ai accepté et il m'a demandé de le rencontrer au coin de Sainte-Catherine et Saint-Denis. En me préparant pour ma sortie, ma tante Rachelle s'est mise à me raconter l'expérience qu'elle avait eue dans son jeune temps. Elle me dit: «Je me rappelle d'avoir pris un tel rendez-vous, mais quand je suis arrivée à l'endroit où l'on s'était entendu de se rencontrer, il était là, mais c'est à sa chambre qu'il voulait que j'aille. Ça n'a pas pris de temps. Je l'ai envoyé chez le diable! J'espère que ce ne sera pas la même histoire pour toi!»

Je me suis rendue et voilà, mon M. Smith m'attendait. Il avait un nom anglais, mais il était «Canayen»[45] pure laine. Il me souhaite gentiment le bonsoir et me dit: «Nous allons aller à ma chambre prendre un verre avant d'aller au cinéma.» Je lui répondis carrément que je n'avais pas soif et que je n'avais aucunement l'intention d'aller à sa chambre: «Vous m'avez demandé d'aller aux vues[46]», je lui ai dit. Quand il a insisté en disant qu'il était encore de bonne heure et que nous avions le temps de prendre un verre, je lui ai dit: «Bonsoir, M. Smith», et je suis sautée dans le tramway que je venais d'apercevoir arrêté au coin. En me voyant arriver, ma tante

L'Hôtel Tadoussac tel que je l'ai connu en 1919

Rachelle s'est éclatée de rire... les temps n'avaient pas changé!

Ma mère était très contente de me revoir quand je suis retournée chez-nous en septembre de 1919. Elle et mon père avaient maintenant la responsabilité des deux enfants de Johnny qui était décédé l'année précédente. Maman n'était pas forte et elle trouvait la tâche plutôt dure à son âge. Leur mère les avait laissés pour aller travailler à Toronto. Je suis restée avec eux pendant deux mois, mais quand l'hiver s'est approché, ma mère insistait pour que je m'en retourne travailler à Montréal. Elle disait: «Ces enfants ne sont

pas ta responsabilité et ton père est ici pour m'aider». Donc, je partais passer l'hiver à Montréal.

Peu de temps après mon arrivée à Montréal, j'ai reçu une lettre d'Alfred Marchildon. C'était un garçon de Lafontaine que j'avais connu avant de partir pour Toronto en 1912. On s'était rencontré à un Mardi gras à Perkinsfield et Alfred ne s'était pas masqué. Je lui avais demandé pourquoi et il m'avait répondu: «Ce n'est pas nécessaire, je ne connais personne et personne ne me connaît.» J'avais su tout de suite qu'il me plaisait et je suis sortie avec lui quelques fois, mais ce n'était rien de sérieux. Quand je suis partie pour Toronto en 1912, Alfred s'était en allé dans l'Ouest, en Saskatchewan. Avec d'autres familles de par ici, Alfred et son frère Albert ont pris des terres qu'on appelait des «homestead»[47]. Un an plus tard, l'autre frère d'Alfred, Gilbert Marchildon, était aussi allé les rejoindre.

Le gouvernement voulait développer et peupler le pays. Donc, des terres dans l'Ouest étaient données gratuitement à condition qu'un certain nombre d'acres soient défrichés chaque année. Il y eut tout une vague d'émigration ces années-là: de par ici, les familles

Marie Asselin à 27 ans. Alfred Marchildon à 30 ans.

de Joseph Lalonde, Théodore Lalonde, Édouard Laforge, Ferdinand Saint-Amant, Joseph Larmand, Arthur Dault et Théo Perrault.

La vie dans l'Ouest était dure. Il n'y avait ni chemin ni église et comme l'eau était minérale, il fallait se contenter de boire l'eau des toits. Pour un célibataire comme Alfred, c'était très ennuyant. Il était revenu après six mois et en 1912, il m'avait demandée en mariage. Quand j'ai parlé de ça à ma mère, elle m'avait dit: «Tu ne t'en iras pas dans l'Ouest faire la misère!»[48] Eh bien, ma mère s'était prononcée contre et je respectais son autorité. Je n'avais eu qu'à dire non à Alfred.

Après deux ans, Alfred abandonna son «homestead» et alla travailler à Washington où il avait un oncle, Isaï Marchildon. Il resta aux États-Unis de 1914 à 1920 et il avait de l'ouvrage dans la construction de bateaux. Pendant ces années-là, Alfred et moi n'avions même pas correspondu.

Quand Alfred est revenu en 1920, ce fut pour de bon. Il demanda d'abord la permission de me marier à mon père et ensuite, il est venu demander ma main. Cette fois-ci, j'ai accepté.

Chapitre V
Le mariage, les enfants et le magasin
1920 - 1928

L e 26 avril 1920, j'épousais Alfred Marchildon. J'avais vingt-
sept ans et Alfred en avait trente. Dans ces temps-là, une
fille ne demandait pas à son futur s'il avait de l'argent ou
une maison: on se mariait et on acceptait ce qui venait ensuite.
C'est alors qu'après une courte lune de miel à Toronto, mon mari
m'amena vivre chez ses parents, Théodore Marchildon et Délima
Desrochers.

Mes beaux-parents étaient des gens que l'on disait assez à l'aise.
Cependant, comme tous les gens de l'époque, ils faisaient bien
attention à leurs sous. À la maison, il y avait les trois frères de mon
mari: Clément, Edmond et Thomas. Mme Marchildon n'était pas
bien, alors ils avaient engagé Délianne Desrochers pour s'occuper
de la maisonnée.

Je m'entendais donc bien avec Délianne. Je trouvais la vie très
différente chez Marchildon, car à mon âge, j'avais connu une
certaine indépendance. Chez Marchildon, par exemple, les femmes

Jour du mariage de Marie Asselin et d'Alfred Marchildon, le 26 avril 1920

69

n'avaient jamais attelé un cheval tandis que chez-nous, j'avais toujours fait ça. Je pouvais aller en ville, seule. Un jour, je me suis décidée d'aller au village avec Délianne chercher le courrier et de l'épicerie. J'ai attelé le cheval et voilà, on était parties. Quand on est revenues, M. Marchildon était au bord du chemin, faisant semblant de réparer la clôture. Je voyais bien qu'il n'était pas content et il m'a dit: «Je pensais bien être obligé d'aller chercher la voiture quelque part le long du chemin.» Je lui ai aussitôt répondu: «Votre cheval était si content de sortir avec nous qu'il n'était pas pour faire le fou!»

Délianne était vraiment habile et elle s'y connaissait mieux que moi dans le ménage.[49] Malheureusement, plus tard en juillet, Délianne a dû nous quitter pour aller prendre soin de Mme Thomas Desrochers qui venait de donner naissance à Aurore. Comme j'ai regretté le départ de Délianne! Il a fallu que je prenne la besogne en main et avec cinq hommes, ça en faisait de l'ouvrage.

J'étais quand même assez heureuse chez mes beaux-parents. C'était du bon monde. Les Marchildon aimaient bien la langue française et la culture. Cependant, je ne voulais pas rester chez mes beaux-parents indéfiniment. J'avais trop d'ambition pour me contenter d'une telle vie. J'ai donc réussi à convaincre Alfred d'ouvrir un magasin à Lafontaine. Puisque j'avais pris plusieurs années d'expérience au magasin de mes parents à Perkinsfield, je savais qu'ensemble, Alfred et moi, on pourrait gérer un magasin. Il y avait déjà deux magasins au village de Lafontaine: le United Farmers était une sorte de coopérative dans laquelle la plupart des fermiers avaient une part et l'autre magasin appartenait à un M. Longpré. Dans ce temps-là, on s'imaginait que les gens de soixante ans étaient très vieux et je me disais que M. Longpré était à la veille[50] de prendre sa retraite. Je disais à Alfred que si nous étions installés, nous serions là pour le remplacer.

À l'automne de 1920, nous avons ouvert un magasin au coeur du village dans une maison que nous avions louée de Mme Philias Toutant. C'était déjà la Dépression et nous vendions si peu qu'Alfred a cru nécessaire de se trouver de l'ouvrage ailleurs. Mais par chez-nous, il n'y avait pas d'ouvrage. Comme j'étais enceinte, il nous fallait faire quelque chose pour nous en sortir.

Tout de suite après le jour de l'An, Alfred est parti voir sa soeur Alice à River Valley et c'est là qu'il a réussi à se trouver un emploi. J'ai donc vendu le contenu du magasin et je me suis en allée vivre chez mes parents à Penetang. Quand mon premier fils est né le 6 février, Alfred est revenu tout de suite. Notre premier bébé s'appellerait Gabriel. Alfred s'est tout de suite attaché au nouveau bébé et il ne pouvait plus retourner dans le Nord. Il se serait trop ennuyé. C'est alors que nous sommes restés chez mes parents jusqu'au mois de mai.

Ma belle-mère se sentait de moins en moins bien et comme je l'aimais beaucoup, j'ai décidé de retourner chez-elle. J'ai passé l'été et l'automme à en prendre soin. Mme Marchildon ne sortait pas, sauf pour aller à la messe quand elle se sentait assez forte. Son fils Joseph et sa femme Claircé nous rendaient visite avec leurs enfants, mais à part d'eux, les voisins nous visitaient rarement.

En face de chez les Marchildon demeuraient une pauvre veuve et sa grosse famille. Cette dame, Mme Napoléon Contois, avait deux filles qui travaillaient en service quand elles pouvaient se trouver de l'ouvrage. Elle avait aussi un fils qui travaillait au moulin à scie de Manley Chew à la Baie du Tonnerre. Ce jeune Philippe n'avait que quinze ans et il devait marcher trois ou quatre milles pour se rendre à la Baie. Après sa journée de douze heures d'ouvrage, il devait encore revenir à pied. C'était triste. Mon beau-père était très charitable pour cette pauvre Mme Contois. Avec M. Jos Chrétien, M. Marchildon avait fait du porte en porte pour quêter des provisions pour la famille de cette dame. Certaines personnes donnaient  même de l'argent, car ils savaient qu'avec une pleine maisonnée d'enfants, Mme Contois aurait besoin de plus que du pain et de la viande. M. Chrétien était aussi très bon pour la veuve: il n'était pas riche lui-même, mais il achetait de la farine pour les deux maisons et Mme Contois cuisait le pain. Quand le moulin de M. Chew passa au feu à la fin d'août, le jeune Philippe Contois fut mis à pied et Mme Contois crut bon de déménager à Penetang:

Mon beau-père Théodore Marchildon lorsqu'il était jeune 1862-1928 là, son fils aurait plus de chance de se trouver de l'ouvrage.

Un peu plus loin, sur la même concession, il y avait mon oncle Napoléon Dault. Heureusement que je les avais! Mes cousins Jim et Mike m'amenaient en ville voir mes parents de temps à autre et cela me faisait bien plaisir. J'aimais bien sortir, mais mon mari se trouvait bien à la maison. Quand je pense à mon mari qui n'était pas «sorteux»,[51] ça me rappelle une ancienne «Chanson à la mariée» qui se chantait anciennement aux noces, immédiatement après le mariage:

> Avez-vous bien compris,
> Madame la mariée?
> Avec-vous bien compris
> Ce que le curé a dit?
> Aimez votre amant,
> Aimez-le constamment.
> Aimez votre époux,
> Aimez-le comme vous.
> Vous n'irez plus au bal,
> Madame la mariée.
> Vous n'irez plus au bal
> Ni aucune assemblée.
> Vous garderez la maison
> Tandis que nous irons.
> Vous garderez le logis
> Avec votre mari.

Je trouvais que c'était un peu comme ça. J'avais eu une vie de jeunesse pleine de nouvelles expériences et je me retrouvais dans un monde plus isolé que jamais. J'aurais dû m'en douter dès notre première rencontre qu'Alfred était un homme sérieux. Il ne s'était pas masqué au Mardi gras. C'est peut-être cette qualité qui m'avait attirée à lui. Moi, j'aimais bien rire et m'amuser, et je ne prenais pas la vie au sérieux tout comme lui. Avec Alfred, j'étais assurée d'avoir un bon mari, car ensemble, on verrait à élever nos enfants dans la religion et dans la Foi. Je savais qu'après sept ans sans nous être vus, c'était la destinée qui nous avait ramenés ensemble. Différents comme nous l'étions l'un de l'autre, on s'aimait et je savais dans mon coeur que Dieu voulait qu'il en soit ainsi.

Pendant tout l'été de 1921, je me suis occupée de la maisonnée chez mes beaux-parents. En plus de la même besogne que l'année précédente, j'avais maintenant un bébé. Je passais beaucoup de temps à m'occuper de Mme Marchildon et quand j'allais m'assurer si elle était confortable dans sa chambre, elle ne voulait plus que je parte. Elle m'a enseigné une très vieille chanson que je garde encore dans mon recueil. Cette chanson me rappelle toujours cet été passé avec ma belle-mère.

LES QUATRE RUBANS

À dix-huit ans, je sortais d'une église
De mon hymen, c'était le premier jour.
Un gai soleil, une suave brise
Jetaient partout la lumière et l'amour.
Toute au bonheur, la paupière mouillée,
Près d'un époux au coeur loyal et franc,
J'étais alors nouvelle mariée
Dans mes cheveux flottait le ruban blanc. } bis

Lune de miel, printemps du mariage.
Chers souvenirs des beaux jours disparus.
En feux-follets dans notre gai ménage
Tu resplendis, maintenant tu n'es plus.
Je me souviens de ce temps éphémère
Où chaque soir on dansait l'oeil en feu,
Dans les salons quand j'étais jeune mère
Sur mes cheveux flottait le ruban bleu. } bis

J'ai tout perdu: fils, époux, je suis veuve
Et l'amertume règne dans mon coeur,
Car désormais mon âme dans l'épreuve
Doit dire adieu sur terre à tout bonheur.
Pour qu'à mes yeux l'avenir soit moins sombre,
À mes vieux jours, Seigneur rendez espoir.
La mort des miens et les malheurs sans nombre
Ont sur mon front cloué le ruban noir. } bis

Ma belle-mère prit le lit[52] pour de bon au début septembre. Elle ne mangeait plus et elle trouvait le temps long. En octobre, j'étais de nouveau enceinte et je trouvais la besogne de plus en plus difficile. Au mois de décembre, on s'apercevait que Mme Marchildon empirait, donc son mari a appelé la parenté. Ils arrivèrent de partout: ses deux soeurs, son frère, un époux et une épouse, ses fils de l'Ouest, Albert et Gilbert, Thomas du séminaire, Joseph et Claircé, leurs enfants et toute la parenté venaient souvent. Puis tout le monde restait aux repas. Nous étions toujours une

*Ma
belle-mère,
Délima
Desrochers
1866-1921*

quinzaine à table et il fallait que je boulange pour tout ce monde. Heureusement, Mme Clémence Lacroix est venue à mon aide une semaine avant la fin. Sans elle, je n'aurais pas pu tenir le coup. Les gens dormaient ici et là dans leur chaise.

Ma belle-mère mourut le 18 décembre 1921, à l'âge de cinquante-cinq ans. Avec l'aide de Mme Lacroix, je remis la maison en ordre. Ensuite, je suis allée rejoindre mon mari à la veille du jour de l'An. J'étais bien contente de prendre du repos, car j'étais enceinte de trois mois.

Alfred avait ouvert notre nouveau magasin, un mois plus tôt, dans l'emplacement du commerce de M. Longpré. Je ne lui avais pourtant pas souhaité la mort, mais M. Longpré était décédé quelques mois plus tôt. Sur les instances de son frère Sévère, mon

Les frères et la soeur de mon mari. À partir du haut, de gauche à droite:
Joseph, Edmond, Gilbert, Alice, Thomas, Clément et Albert.

beau-père nous acheta la maison du défunt. Il avait payé cette maison 1 000$. On n'était pas difficile, mais la vieille maison n'était vraiment pas en bon état: le toit coulait de partout.

Pour la première fois, on commençait la nouvelle année dans notre propre chez-nous. Pendant ma grossesse, j'étais toujours un peu inquiète et anxieuse de peur que mon enfant soit infirme. Quand j'ai entendu le médecin dire: «C'est un gros garçon», cela m'a rassurée. Le 16 juillet 1922, notre petit Marc est né: un beau garçon aux yeux bruns et aux cheveux blonds frisés. Gabriel n'avait que dix-sept mois et jusqu'à ce que Marc arrive, il avait toujours dormi avec nous. Maintenant que nous avions le nouveau bébé, il nous fallait une petite couchette et Alfred retardait toujours d'en acheter une. Je me suis alors décidée d'en fabriquer une moi-même. J'ai pris une grande boîte en bon bois et j'ai construit une couchette sur pattes pour que le fond soit à une bonne distance du plancher. Je n'avais pas de marteau, alors je m'étais servi d'une grosse pince à brocher pour enfoncer les clous. Une bonne nuit, le fond céda et Gabriel refusa par la suite de coucher dans cette boîte. C'est alors que mon mari s'est décidé de remettre le fond à l'aide d'un bon marteau.

La vie continuait toujours au même gré,[53] mais peu de temps après, je me retrouvais enceinte d'un troisième bébé. Le 29 septembre 1923, c'est notre première fille qui est née. Nous l'avons appelée Marguerite. Cette fois, ma petite avait les yeux bleus comme moi. Avec mes trois enfants, je trouvais que la vie tournait pas mal autour d'eux et comme toutes les femmes du temps, je me sentais souvent fatiguée, même épuisée. On aurait bien voulu éloigner les naissances, mais c'était bien défendu! Je me souviens qu'à Lafontaine, une femme était allée voir le curé pour lui demander si elle pouvait se servir de la méthode que sa voisine lui avait enseignée pour ne plus avoir d'enfants. Le père Brunet lui avait répondu que sa voisine avait une langue de vipère! Il avait ajouté que Dieu avait donné des organes à la femme pour avoir des enfants et qu'elle devait accepter les enfants qui lui étaient donnés.

Ce n'était pas toujours facile de surveiller les enfants et de servir au magasin. Quand mon mari s'absentait, je ne pouvais pas être partout en même temps. Toutes sortes d'incidents arrivaient! Un jour, mon petit Marc a enlevé le bouchon de la canisse de sirop d'érable et quand je suis arrivée dans la cuisine, il y avait du sirop répandu partout. Marguerite qui ne marchait pas encore, était en

train de patauger dans le sirop avec Marc. Quel dégât!

Pendant ce temps, Alfred faisait des plans pour refaire la maison et le magasin. Moi, j'étais peureuse parce que je ne voyais pas comment nous pouvions faire de telles rénovations sans argent. Mais mon mari eut l'idée de demander à plusieurs hommes qui avaient de gros comptes au magasin s'ils ne donneraient pas de leur temps en échange des paiements qu'ils nous devaient. Alfred voulait faire la brique de ciment lui-même, mais il lui fallait de la chaux pour le solage.[54] Il demanda à Jim Robitaille qui avait beaucoup de pierres à chaux sur sa terre de lui faire de la chaux en paiement de son compte. Un autre homme laissa de la planche et quelques-uns donnèrent tout simplement de leur temps.

Nous avions emprunté 1 500$ de M. Sévère Marchildon à 5% d'intérêt. À la banque, nous aurions dû emprunter à 8%. L'oncle Sévère n'aurait eu que 3% d'intérêt en plaçant son argent à la banque. M. Edmond Laurin fit le solage et M. Albert Maurice et

L'oncle de mon mari, Sévère Marchildon 1860-1950

77

son fils Arsène furent engagés pour bâtir le magasin et la maison. Tandis que M. Maurice et M. Laurin étaient payés 5$ par jour, les autres ouvriers recevaient soit 2$ ou 2,50$. Ce n'étaient pas de gros salaires pour des hommes avec des familles, mais c'étaient les salaires de ce temps-là. Presque toutes les familles avaient au moins une vache, des poules et des porcs. Avec les grands jardins, le monde était au moins assuré de pouvoir manger.

Le 28 avril 1924, les hommes levèrent notre vieille maison pour creuser la cave et construire le solage en pierres. La température était idéale, mais quelques jours plus tard, la température se refroidit. Le 9 mai, il faisait une vraie tempête d'hiver. Je vous assure que ce n'était pas chaud dans notre petite maison soulevée de terre! Je gardais mes trois petits sur le lit afin qu'ils ne tombent pas malades. Ma nièce Hélène Moreau est venue me donner un coup de main et elle devait, comme nous, coucher à la belle étoile.

Je n'oublierai jamais le bruit infernal quand les hommes ont posé la latte sur les murs de la maison: parfois, il y avait cinq ou six hommes qui cognaient du marteau en même temps. Quand ils s'arrêtaient pour les repas, les oiseaux croyaient qu'il n'y avait personne dans la maison et comme les moustiquaires n'étaient pas encore posées, ces oiseaux entraient manger les miettes autour de la table. Je me souviens, on restait bien immobile pour pouvoir les observer.

Quand Pierre Gravel fut engagé pour faire le plâtrage, le magasin était en place. On n'avait plus d'argent pour finir les plafonds de la maison, mais le reste était tout fini vers le début juillet. Pendant toute cette construction chez-nous, je recyclais autant de matériaux que possible et c'est ainsi que j'ai gagné la réputation de celle qui pouvait gratter pour deux... ou trois.[55] Rien ne en se perdait chez-nous. Le ciment venait dans des sacs de gros coton blanc et je les faisais bouillir avec une lessive de cendre de bois franc. Ensuite, je frottais ce linge, je le teignais de différentes couleurs et je faisais des vêtements pour mes petits. Avec le coton mince qui se trouvait à l'intérieur des poches de sucre en jute, je faisais des couches. Avec les poches, je faisais des linges à vaisselle et même des draps de lit pour les enfants. Sans toutes ces épargnes, nous n'aurions pas pu arriver: nous aurions pris le chemin.[56]

On travaillait très fort pendant ces années-là, mais heureusement qu'il y avait des événements pour nous faire rire. À Lafontaine, nous avions le téléphone depuis 1922 et un jour, une dame m'appelle et me demande si j'avais des «effs» (œufs) à vendre. Moi, j'ai compris des «vestes» et je lui ai répondu que nous en avions. Je lui ai demandé: «Des vestes d'homme?» Cette dame s'est mise à rire et ce ne fut qu'après quelques minutes qu'elle put reprendre son sérieux, et m'expliquer au juste ce qu'elle voulait.

La vie pendant le temps du magasin n'était pas toujours amusante. Le magasin était à côté de l'école et dans ce temps-là, les fermiers s'occupaient à tour de rôle de transporter les enfants à l'école en «sleigh».[57] Les enfants d'école avaient pris l'habitude de venir attendre le «sleigh» au magasin et ils prenaient plaisir à se jouer des tours en criant: «Voilà le sleigh» quand le «sleigh» n'était même pas en vue. Toute la marmaille sortait du magasin à grande vitesse et ils laissaient la porte ouverte. J'allais fermer la porte, mais quelques instants plus tard, tout le monde revenait dans le magasin et la même chose se répétait. Cela me fatiguait beaucoup et au bout de quelques hivers, j'ai demandé aux Soeurs de garder les enfants à l'école en attendant le «sleigh».

À l'automne de 1924, j'étais enceinte de mon quatrième bébé et mon aîné allait avoir quatre ans en février. Au mois de mai 1925, j'ai donné naissance à un bébé mort-né. Je ne pensais pas être aussi attachée à ce petit être, mais ma peine fut profonde. Je me souviens, c'était une très belle journée de mai, mais plus tard dans l'après-midi, la température s'était refroidie et la pluie était froide. Quand mon mari est allé mettre notre bébé en terre sainte pour toujours, j'avais beaucoup de peine en pensant que ce cher petit était sous la pluie et au froid.

Mais en peu d'années, d'autres petits arrivèrent pour me faire oublier ma peine. Le 20 octobre 1926, j'ai eu Henri. Le 25 avril 1928, c'est Alice qui m'est née. J'avais cinq petits enfants à élever et je faisais ma part au magasin. Heureusement que j'ai pu engager Alexina Marchildon. Elle est venue s'occuper de mes enfants et les enfants l'aimaient bien. Alexina était pour moi une bonne amie et elle est revenue travailler chez-nous à tous les étés pendant plus de dix ans.

Deux mois après la naissance d'Alice, ma mère est morte d'une pneumonie. Elle avait soixante-sept ans. J'avais bien aimé ma mère et elle fut toujours pour moi un grand modèle à suivre. Elle m'est toujours présente à l'esprit quand je récite une prière de mon adolescence. La voici:

Ô Doux Jésus,
Divin modèle de la perfection
À laquelle nous devons aspirer.
Je vais m'appliquer autant que je le pourrai
À me rendre semblable à Vous:
Douce, Humble, Chaste, Zélée, Patiente, Charitable
Et Résignée comme Vous;
Et je ferai particulièrement tous mes efforts
Pour ne pas retomber aujourd'hui
Dans les fautes que je commets si souvent
Et dont je souhaite sincèrement me corriger.
Mon Dieu, Vous connaissez ma faiblesse.
Je ne puis rien sans le secours de Votre Grâce!
Ne me la refusez pas, Mon Dieu.
Proportionnez-la à mes besoins.
Donnez-moi assez de force
Pour éviter tout le mal que Vous défendez,
Pour pratiquer tout le bien que Vous attendez de moi
Et pour souffrir patiemment toutes les peines
Qu'il Vous plaira de m'envoyer.

Chapitre VI

Pas de plus grand amour
1928

L a mort de maman fut une grande peine, mais plus tard cette même année, une autre mortalité me causa une autre peine qui me transperça le coeur. On peut essayer d'expliquer la peine d'une mère qui perd son enfant, mais il faut certainement être passée par là pour vraiment comprendre.

C'était le 9 décembre 1928. Les enfants étaient déjà dans l'esprit

Mon fils Marc (1922-1928), sa cousine Velma Marchildon, mon fils Gabriel et son cousin Armand Marchildon. Velma et Armand sont les deux enfants de Joseph et Claircé.

de Noël et ils anticipaient la venue du père Noël. À l'école, la maîtresse de Gabriel avait demandé aux enfants d'écrire une lettre au père Noël et de lui dire tout ce qu'ils voulaient en cadeau. Gabriel n'avait que sept ans et il m'avait demandé de l'aider. Quand vint le tour de demander à Marc ce que lui voulait, il a répondu qu'il voulait un petit ciel et une glacière. Sans le questionner, c'est ça que j'ai écrit.

Mon mari, mon père, moi-même, ma soeur religieuse. De gauche à droite, assis en haut: mes enfants, Marguerite, Gabriel et Marc. En bas: mes neveux Lionel et Jean Raymond Asselin.

Pourquoi un petit ciel? Je calculais que c'était probablement parce que Marc avait hâte de revoir son grand ami Alcime Brunelle au ciel. Alcime avait quinze ans quand il est mort du cancer et petit Marc s'en ennuyait bien. Alcime lui faisait souvent faire des tours à bicyclette. Marc me demandait souvent: «Est-ce que j'aurai Tit-Coq dans mon ciel?» Pourquoi Marc m'avait-il aussi demandé une glacière? Cela reste un vrai mystère.

Les enfants étaient très tapageurs ce dimanche après-midi-là. Nous étions tous allés aux vêpres et pendant que mon mari jasait avec Philippe Leblanc dans le magasin, les enfants jouaient dans la cuisine. Mme Élie Moreau est arrivée pour me rendre visite et comme les enfants étaient bruyants dans la cuisine, je l'ai invitée à venir s'asseoir au salon. Quelques minutes après, on entendit une terrible explosion venant de la cuisine. J'ai couru aller voir: il y avait du feu partout sur le plancher et mon petit Marc était en feu.

Il était tout en flammes! Il courait vers notre chambre. Mon mari est arrivé à la course. Dans sa grande détresse, il a pris Marc dans ses bras et il a couru dehors le rouler dans la neige.

Il était quatre heures et demie quand cette tragédie est arrivée. Marc était si gravement brûlé qu'il ne ressentait plus de douleurs. Il est mort vers les cinq heures du matin. Marc avait pris la canisse d'huile à lampe et il l'avait versée sur un feu vif dans le poêle. Mon mari avait les mains tellement brûlées qu'il ne pouvait plus rien faire. Ça fait soixante ans cette année que mon petit Marc est mort. Comme notre chagrin avait été douloureux! Je me demandais bien pourquoi notre petit Marc nous avait été pris si cruellement.

Marc aurait eu six ans et il venait de faire sa première communion, cet été-là. Le père Brunet nous avait dit que c'était la première fois qu'il acceptait qu'un si jeune enfant fasse sa première communion. À l'homélie des funérailles, le père Brunet a dit: «Je conclus que Dieu le voulait comme un grand saint». Notre peine dura très longtemps.

Un an, jour pour jour après la mort de Marc, Thérèse est arrivée pour le remplacer. Thérèse fut mon meilleur bébé. Il est vrai que je ne l'ai pas laissée se faire gâter[58] par Alfred comme il l'avait fait avec les autres. Alfred avait pris l'habitude de bercer les enfants avant de les coucher et quand il n'était pas là, je ne pouvais pas les coucher sans devoir les bercer.

Même si j'étais bien occupée avec ma marmaille et le magasin, j'aimais bien les enfants. Après le souper, je leur disais: «Si vous voulez m'aider à faire l'ouvrage et mettre la maison en ordre, je vais jouer à la cachette avec vous.» Pour les enfants, il n'y avait pas de plus beau «temps» que lorsque j'avais le temps de jouer avec eux. Mon mari se joignait à nous et là, c'était encore plus amusant.

Mes enfants n'avaient pas souvent de

Notre peine dura très longtemps. Dans mes bras, Thérèse. En avant: Henri, Marguerite et mon aîné Gabriel.

83

jouets achetés. Les enfants se fabriquaient toutes sortes de jeux et à chaque saison, ils avaient de nouveaux amusements. Dans le village même, il y avait entre cinquante et soixante enfants qui jouaient ensemble. À l'automne, ils ratelaient les feuilles mortes et le soir, à la noirceur, ils allumaient des grands feux. Il y avait toujours une cinquantaine d'enfants alentour et pour eux, c'était le plaisir. L'hiver, ils allaient tous glisser dans la grande côte du couvent. Ce n'était pas dangereux, car il n'y avait pas d'autos.

Les enfants du village allaient tous glisser
dans la grande côte du couvent.

Les enfants du village savaient qu'ils étaient toujours bienvenus chez-nous. Le samedi après-midi quand il faisait mauvais, les enfants jouaient à l'école dans une grande salle que nous avions au deuxième étage. Ils se servaient des boîtes d'oranges vides comme pupitres et des barils de clous comme chaises. Parfois, il pouvait y avoir presque une vingtaine d'enfants en haut. Je me souviens que ma fille Alice et son amie Émérentienne Gignac s'habillaient en soeur et faisaient la classe. Elles avaient installé une sorte de chapelle dans une autre pièce et elles faisaient prier et chanter les autres enfants. Un jour, elles étaient même aller visiter les religieuses au couvent et comme les petites étaient déjà en habit de soeur, elles avaient été reçues en vraies religieuses!

L e couvent de Lafontaine était un édifice impressionnnant qui avait été construit en 1885. Les premières religieuses à l'occuper avaient été les Soeurs de Sainte-Croix, mais en 1896, ce sont les Soeurs de Saint-Joseph de Toronto qui en avaient pris possession. Elles étaient responsables de l'enseignement en anglais pendant les années du Règlement 17 en Ontario. De 1915 à 1927, l'enseignement du français était interdit plus d'une heure par jour. Même dans un village purement français comme Lafontaine, tous les enfants de la génération d'avant les miens avaient été instruits en anglais. Heureusement, la fin du Règlement 17 correspondait à l'âge de la rentrée scolaire de mes enfants. En 1927, les Soeurs de Saint-Joseph quittèrent Lafontaine et des laïques prirent leur place jusqu'au retour des Soeurs de Sainte-Croix en 1930.

Je suis donc contente que mes enfants aient pu se faire instruire en français. Quand ils ont commencé l'école, mon mari voulait les encourager à s'instruire et il leur avait acheté une encyclopédie de cent dollars! Je trouvais ça terriblement cher, mais par après, j'ai reconnu que cette encyclopédie m'était d'une aide inestimable. Les enfants apprenaient toutes sortes de choses à l'école et lorsqu'ils me posaient des questions, j'allais vite consulter l'encyclopédie. Les enfants n'avaient pas la permission d'y toucher: à cent dollars, ces livres étaient précieux! Au fil des années, je ne pouvais plus me passer de cette encyclopédie! Ces livres nous ont servi à nous autant qu'à nos enfants.

À l'époque, c'était la Grande Dépression qui nous hantait chaque fois qu'on dépensait. Même durant les deux premières années de la Dépression, il n'y avait même pas de secours direct dans notre canton de Tiny. Peu de gens avaient de l'argent et je pense que certaines familles souffraient de la faim. Je me souviens qu'au magasin, je ne pouvais pas vendre des oeufs à dix cents la douzaine! J'avais dû les faire couver dans l'incubateur chez Mme Toutant.

En 1929, le krach boursier fit que les événements ont pris une tournure tragique pour plusieurs fermiers de Lafontaine. Après la guerre de 1914, les affaires avaient été plutôt bonnes et les fermiers en avaient profité pour emprunter de l'argent du gouvernement pour s'acheter des terres. En 1929, les fermiers ne pouvaient plus payer leurs taxes et le gouvernement s'est mis à vendre leurs terres pour des bagatelles[59] à ceux qui pouvaient les acheter. Mon frère Joseph, lui, avait acheté une terre à Phelpston pour 10 000$ et le gouvernement s'en est emparé. Sa terre fut vendue pour 1000$. Ceci était vraiment injuste! Si le gouvernement avait dit à mon frère: «Tu peux avoir ta terre pour 1 000$», il aurait peut-être pu se procurer cette somme. Mais ce ne fut pas le cas. Bien des fermiers ont dû subir le même sort.

L'arrivée du secours direct sauva beaucoup de gens. Le samedi après-midi, les gens venaient échanger leurs «vouchers» contre de la nourriture au magasin. Le père et la mère de chaque famille recevaient chacun 1$ par semaine et chaque enfant 1,25$ par semaine. Les salaires étaient atrocement bas et plusieurs personnes ne travaillaient que pour leur chambre et pension. Je me rappelle qu'Albert Gignac travaillait pour les religieuses du couvent au salaire de 10$ par mois. Mais malgré leur misère, les gens des campagnes étaient moins à plaindre que les gens des villes. Eux, crevaient de faim! Ils devaient faire la queue en attendant de se faire nourrir par les différentes œuvres de charité. À Lafontaine, on avait au moins nos maisons chaudes, nos familles et le grand air.

Chapitre VII
Une Nouvelle Entreprise
1929 - 1940

Quelques mois après avoir épousé Alfred en 1920, ma belle-mère, mon mari et moi étions allés en pique-nique à la Baie du Tonnerre. Ils m'avaient amenée sur une belle côte de sable couronnée de beaux gros sapins blancs majestueux. Au bas de cette côte, il y avait une vallée qui nous amenait à croire qu'il y avait peut-être déjà eu une rivière là. Au-delà de cette vallée, une belle plage blanche s'étendait comme un désert de sable: pas un arbre, même pas un brin d'herbe y poussait.

En 1920, j'avais trouvé l'endroit tellement ravissant que j'avais dit à mon mari: «Demande donc à ton père s'il ne nous vendrait pas ce terrain.» Je rêvais de pouvoir un jour construire un hôtel comme celui que j'avais connu à Tadoussac, là où j'avais travaillé l'été précédent. Je prévoyais le même potentiel de pouvoir attirer des touristes par ici, car à la Baie du Tonnerre, c'était tout aussi beau.

J'avais épargné un peu d'argent avant de me marier et je savais que les lots de grève ne se vendaient pas chers. D'après le titre du lot de grève où se trouvent aujourd'hui les McIsaac, ce beau lot avait coûté 35$ quand mon beau-père l'avait acheté de M. Newton. En plus de M. Marchildon, M. McNamara y était déjà installé et il y avait plusieurs maisons à l'ouest de la Baie. La plage n'était pas du terrain cultivable. Je savais que cette plage n'était pas rentable ni pour mon beau-père ni pour ses fils qui étaient fermiers. Mon beau-père savait que cette propriété nous intéressait, mais il ne nous a jamais donné de réponse à notre demande d'achat.

Quand mon beau-père est mort du cancer en 1928, selon le testament, chaque membre de sa famille devait recevoir une valeur de 2 000$. Cependant, le testament stipulait que Thomas et Alice ne recevraient que 500$ chacun. Puisque le désir de leur père avait été que chacun de ses enfants reçoive une part égale, le testament fut remis en cause.

Les enfants Marchildon voulaient maintenir la bonne entente qui existait entre eux. Ils déboursèrent pour que Thomas et Alice reçoivent une part égale à celle des autres et les biens de leur père furent répartis de façon à ce que chaque enfant reçoive sa part. Les deux fils qui étaient dans l'Ouest, Albert et Gilbert, reçurent 2 000$ en argent comptant. Comme M. Marchildon avait parti ses fils sur des terres, à sa mort, Clément continua de rester sur la ferme paternelle et Edmond resta sur la ferme avoisinante. Joseph était à sa part[60] sur une ferme un peu plus loin et à la mort de son père, il put acheter une érablière qui valait 6 000$ pour la somme de 4 000$. De cette façon, Joseph recevait son 2 000$. Clément et Edmond séparèrent aussi le cent arpents de bois à la Baie du Tonnerre. Mon mari qui était l'un des exécuteurs du testament, demanda à ses frères s'ils étaient d'accord qu'il reçoive le chalet et le terrain de sable qui faisait la devanture de ce cent arpents. Les frères d'Alfred étaient bien d'accord et même heureux de ne pas devoir réduire davantage leur part de l'héritage pour qu'Alfred ait la sienne.

C'est alors qu'en 1929, nous avons hérité de la propriété à la Baie. Plus tard, le lot de bois dont Clément avait hérité à la Baie fut vendu à l'oncle Sévère et c'est de ce dernier que mon mari acheta cette propriété quelques années plus tard.

Quand nous avons hérité de la plage, mon mari a tout de suite engagé les arpenteurs Cavanagh d'Orillia pour faire établir les

À la Baie du Tonnerre avec ma cousine Marie-Hélène Daoust Plante. Mes enfants de gauche à droite: Alice, Thérèse et Marguerite.

périmètres de sa propriété. La Dépression se faisait déjà sentir et nous n'avions pas d'argent pour payer les arpenteurs. Heureusement, M. Cavanagh avait consenti à ce que nous vendions quelques terrains avant de se faire payer 450$. C'est alors que nous avons pu entreprendre les premiers travaux.

La plage était si peu développée que le chemin de la dix-neuvième concession aboutissait en plein dans le lac, directement à l'ouest de notre plage. M. Cavanagh suggéra à mon mari de construire un chemin qui continuerait vers l'est jusqu'au bout de ses terrains. L'arpenteur pensait que le conseil municipal serait bien content d'avoir un nouveau chemin en échange du bout de grève où finissait la concession. Mais une fois le chemin construit, le conseil ne trouvait pas que c'était un juste échange: ils ont exigé soixante-six pieds de largeur au devant, là où les lots se vendraient

200$. En plus de s'être emparé du nouveau chemin, le conseil nous demanda aussi de leur donner un autre lot au sud derrière le chemin. Ce lot de 50 x 75 pieds valait 100$ et c'est là que le conseil avait l'intention d'aménager un parc.

Je vous assure que mon mari, c'était tout un entrepreneur! Les lots de grève, il les vendait 200$ ou bien à trois lots pour 500$. La minute qu'il[61] avait une piastre, il se mettait à construire. Il ne se souciait pas s'il y avait de l'argent à la banque ou pas: lui, il bâtissait! En 1930, il a bâti le sixième chalet à l'est du site où serait finalement l'hôtel et en 1931, il a construit le deuxième chalet à l'ouest. Dans celui-ci, il y avait six chambres à coucher, une salle à manger et une cuisine. La salle de toilette était une petite bâtisse à l'extérieur. C'était notre premier petit hôtel, le Centre Beach.

Le premier été, M. et Mme Élie Moreau étaient gérant et gérante de cet hôtel. Ils n'étaient pas très occupés et à la fin de la saison, nous n'avions pas fait beaucoup plus que de payer leurs salaires. Mais je n'étais pas découragée.

Pendant tout le temps où mon mari était occupé à bâtir, la tenue du magasin à Lafontaine me revenait presque entièrement. Mon mari n'aimait pas beaucoup le magasin et il trouvait que c'était une vraie perte de temps que d'attendre la clientèle. Son temps était précieux, car il mijotait toujours de nouveaux projets de construction. À la maison, j'avais Alexina Marchildon qui m'aidait à prendre soin de mes cinq enfants, mais je trouvais ça frustrant de ne pas pouvoir passer plus de temps avec eux. Même, je me demandais si les enfants ne commençaient pas à être plus attachés à leur gardienne qu'à moi. Je fus bien vite rassurée le jour où mon mari est revenu de la ville avec le manteau neuf d'Alexina. Elle avait chargé Alfred d'aller chercher un manteau qu'elle avait fait mettre de côté dans un magasin en ville. Quand Alfred est rentré, il remit la grosse à ma petite Marguerite en lui disant d'aller la donner à Alexina. En voyant ce beau manteau, Margot s'est fâchée. Elle a dit à Alexina: «Ce n'est pas toi qui vas l'avoir, c'est maman!»

Dans ces temps-là, les femmes d'affaires n'étaient pas trop valorisées, mais c'était encore mieux que ce que les femmes avaient connu pendant mon enfance à Perkinsfield. Les femmes des différents propriétaires du bureau de poste faisaient tout le travail et on disait toujours: «Le bureau de poste de M. un tel, de M. un autre». Ces messieurs ne savaient même pas lire! Ce sont uniquement leurs femmes qui savaient lire et qui pouvaient assumer la responsabilité du travail. Au magasin, moi aussi je trouvais ça parfois frustrant. Un de nos fournisseurs venait prendre les commandes et à chaque Noël, il apportait un cadeau à Alfred et il me demandait toujours de le remettre à mon mari. Un jour, je n'en pouvais plus et je lui ai dit: «Je te donne les commandes, je vends le tabac et les bonbons et c'est moi qui paye les comptes. Ne trouves-tu pas que j'en fais assez? Si tu veux donner un cadeau à mon mari, donne-le-lui toi-même!» J'avais peut-être été un peu raide, mais il avait compris. Le lendemain, il vint porter ma commande et m'apporta une belle boîte de bonbons.

Je gérais le magasin, mais des fois, mon mari prenait des décisions sans que je sois toujours d'accord. Cependant, on ne se disputait pas. Si je me fâchais, Alfred passait la porte[62] et si lui se fâchait, je ne disais pas un mot. Comme ça, on s'accordait. En 1930, Alfred avait acheté de l'équipement électrique et moi, je trouvais que nous n'en avions pas besoin. Nous avions les lampes à gaz au naphta. Alfred avait offert au vendeur un lot à la Baie en échange de cet équipement. Quand vint le temps du premier paiement, le vendeur refusa le lot et il nous fallut payer en argent. C'était une grosse dépense à faire au début de la Dépression et cet équipement électrique ne nous donnait que les lumières. Ça ne nous rendait pas la vie beaucoup plus facile.

À l'été de 1932, mon mari construisait deux autres petits chalets en bois rond. Ces chalets étaient bâtis sur un seul lot de cinquante pieds. Ce même été, nous avons engagé Mme Délina Duquette comme gérante et cuisinière à la Baie. Si jamais dans ma vie j'ai fait un bon coup[63], c'est bien d'avoir engagé Mme Duquette! Elle pouvait tout faire! Elle était si heureuse de pouvoir gagner un peu d'argent parce qu'elle était très pauvre. Elle m'avait dit: «Tout l'argent qui rentre chez-nous, c'est 95¢ par semaine: le prix d'un bidon de crème.» Elle était fermière donc elle avait des œufs, du lait et les produits de sa fermer pour pourvoir aux besoins de sa famille. À la Baie, la clientèle commença à augmenter dès que

Mme Duquette arriva : elle pouvait faire à manger comme un vrai cordon bleu. M. Jérôme Charlebois fut aussi embauché pour nous aider. Mon mari avait besoin d'aide, car il avait même un petit magasin derrière l'hôtel. On donnait 50$ par mois de salaire à Mme Duquette ainsi qu'à M. Charlebois.

En 1933, avant que la construction de l'hôtel puisse commencer, nous avons dû abaisser la colline de douze pieds. Comme les bulldozers n'existaient pas, mon mari et M. Walter Chevrette ont aplani la côte avec des chevaux et à l'aide d'un

En haut: Mme Délina Duquette 1887-1956; à droite: les murs de pierres construits par M. Ovide Laurin en 1933

92

excavateur. M. Ovide Laurin a construit les murs de pierres pour retenir le sable ainsi que les escaliers et le trottoir.

La construction de l'hôtel a débuté le 14 avril 1934. Depuis une semaine, la température était idéale. Mais comme les routes étaient impassables au printemps, il n'était pas question de voyager soir et matin du village à la Baie, une distance d'environ quatre milles! En plus des matériaux nécessaires à la construction, il fallait apporter de la nourriture et le linge de lit[64]. Alfred avait engagé Augustin Brunelle pour préparer les repas et tous les hommes restaient dans le chalet hérité de mon beau-père. Malheureusement, une fois rendus à la Baie, une vilaine tempête s'est élevée et ce fut de nouveau l'hiver. Le travail fut donc retardé un certain temps, mais l'équipe d'ouvriers était formée: Ovide Laurin, son frère Phir, Georges Corriveau et son fils Armand, Joseph Ladouceur et d'autres hommes qui savaient bien manier un marteau. Les travaillants étaient reconnaissants de pouvoir gagner pendant quelques mois, car il n'y avait aucune ouvrage nulle part. C'était la Dépression, mais il fallait quand même faire vivre les familles. Les ouvriers recevaient 2,50$ par jour et les autres 1$ par jour. Ils commençaient à travailler à 7h00 le matin et s'arrêtaient à 6h00

le soir. Ils prenaient une heure pour dîner, mais pas de pause-café! Alfred, lui, continuait jusqu'a la brunante souvent jusqu'à 9h00.

En plus d'être bien travaillant, Alfred avait pris un risque en commençant cette entreprise durant la Dépression. On n'avait pas d'argent nous non plus. Il s'était endetté, mais pas à la banque. En ce temps- là, les chantiers de bois d'o euvre ne vendaient pas leurs planches. Alors, M. Marcel Tessier du Tessier Planing Mills à Penetanguishene avait dit à Alfred: «Prends le bois dont tu as besoin et tu me payeras quand tu le pourras». C'est ça que nous avons fait. La construction était quasiment arrêtée pendant ces années-là et nous avons même été retardés par la pénurie de bois au Planing Mills.

Pendant que mon mari bâtissait l'hôtel, j'étais moi-même loin d'être à ne rien faire. J'étais occupée à faire des draps, des taies d'oreiller, des nappes, des couvre-pieds et des rideaux. On était tous bien ardents de pouvoir ouvrir au début de la saison et à force de

En haut: l'hôtel construit en 1934; à droite: mon mari et mon fils, Gabriel, avant l'ouverture officiel de l'hôtel, le 29 juin 1934

travailler ensemble, on était prêts à déménager le contenu du Centre Beach au nouvel hôtel à la fin de juin. Nous achevions la construction quand, un jour, il nous arrive un vendeur de tapis. Il avait un lot de trois tapis de neuf par douze pieds, je crois, et quatre autres tapis de différentes grandeurs. Il voulait 240$ pour le tout. J'avais besoin de tapis, mais l'argent était si rare que je ne pouvais pas me permettre de les acheter. Le vendeur insista et me demanda combien d'argent je pouvais lui donner. Pour me débarrasser de lui, je lui ai répondu: «100$». Il a tout de suite dit: «Vendu!» Alfred trouvait que je les avais presque volés, mais moi, je trouvais plutôt que j'avais été bien chanceuse!

J'avais fait annoncer l'ouverture de l'hôtel dans le Toronto Star pour le 29 juin. L'hôtel s'appellerait le Thunder Bay Inn. Comme nous avions été retardés par le manque de bois et comme nous avions si peu de clientèle au petit hôtel, je ne m'attendais pas à plus d'une vingtaine de personnes le jour même de l'ouverture. Quelle surprise! Les gens se sont mis à arriver et nous avons loué les quelques petits chalets sur la côte. En plus, l'hôtel s'est rempli au complet. Nous n'étions pas équipés pour cette foule. En 1934, il n'y avait pas d'électricité à la Baie. Il fallait éclairer avec des lampes à l'huile qui devaient être remplies et lavées à tous les jours

Heureusement que nous avions le magasin à Lafontaine, car ce jour-là, nous aurions manqué de tout. Alfred a même dû aller demander au boucher s'il n'ouvrirait pas son magasin pour nous vendre de la viande. Ma fille Marguerite et moi, on en a lavé de la vaisselle! Mme Duquette et son aide nous aidaient quand elles avaient le temps, mais elles étaient très occupées à cuisiner pour tout ce monde. Ce n'était pas facile, car il n'y avait qu'un réfrigérateur et qu'un seul gros poêle à bois. Quel brouhaha dans

la cuisine! On ne fournissait pas avec un seul grille-pain en fil de fer! Il a fallu aller emprunter de partout: des draps, des couvertures et même de la coutellerie! En plus de tout ça, je n'avais qu'une seule serveuse!

C'est alors que j'ai appelé Mme Toutant. Elle m'avait demandé de prendre sa fille Patricie et de la faire travailler uniquement pour sa pension. Mme Toutant était trop pauvre pour nourrir sa propre fille. Je l'ai donc engagée et je l'ai payée 10$ par mois. Avec ses pourboires, Patricie avait pu s'habiller pour l'hiver.

La fin de semaine de l'ouverture, le dimanche après-midi, Marcel Tessier du Planing Mills est arrivé avec tout un groupe de touristes. Il était ivre et il les emmenait visiter l'hôtel. Une dame m'a demandé si la place nous appartenait et je lui ai répondu que «oui». M. Tessier a aussitôt pris la parole et m'a dit: «You do? WE do!» Il pensait sans doute que nous ne pourrions pas lui payer ce qu'on lui devait et qu'il pourrait prendre possession de l'hôtel. Mais à la fin de l'été, nous lui avons tout payé sauf 125$.

Pour chambre et pension à l'hôtel, le prix était de 10$ la semaine pour adultes et de 6$ par enfant. Parce que j'avais travillé

Cent ans plus tôt, en 1834, Louis Labatte bâtit la première maison à la Baie du Tonnerre.

à l'Hôtel Tadoussac, je croyais avoir assez d'expérience pour gérer une telle entreprise, mais j'ai dû faire rire de moi assez souvent. Au début, je ne savais même pas qu'il me fallait un registre, mais je vous assure que ça ne m'a pas pris grand temps à m'en apercevoir.

Par un beau samedi soir, deux de nos touristes, M. Stewart et un certain docteur Graham ont eu envie de boire du «Moonshine». Eux, ils appelaient ça du «Squirl» (boisson d'écureuil). Ils voulaient aller en acheter, mais ne sachant pas où aller, ils ont demandé à Jérôme Charlebois de les conduire. Jérôme (on l'appelait Tit-Counne) a consenti à les accompagner. Je ne sais pas où ils sont allés, mais ils ont reviré une bonne brosse[65]! Jérôme en avait peut-être pas bu autant que les deux autres, mais il était tout de même trop malade pour aider Mme Duquette le lendemain matin. Ne sachant pas du tout ce qui s'était passé, Mme Duquette s'est mise à plaindre Jérôme. Je l'entends encore: «Pauvre Tit-Counne, pauvre lui ... malade comme un chien!» Quand elle a appris la vraie cause de sa maladie, Mme Duquette n'était plus du tout compatissante! Le même après-midi, le docteur Graham passa près de nous juste au moment où Mme Duquette disait: «L'écureuil a la queue pas mal basse aujourd'hui!» Le docteur Graham s'est retourné et lui a dit: «Oui, Madame!» On ne savait pas qu'il parlait français et nous avons bien ri de voir l'air chenu de Mme Duquette.

Mme Duquette nous a quittés en 1935, mais l'année suivante, elle est revenue. Elle a travaillé à l'hôtel pendant quatorze étés de suite. La clientèle avait augmenté à plus de cent personnes en tout temps. Quand on sonnait la cloche pour annoncer les repas, les gens se garochaient[66] à la salle à manger. Nos cinq serveuses étaient bien pressées, mais le service était excellent, rapide et courtois. Une fois, par exemple, une de mes serveuses a fait un affreux faux-pas: une dame lui avait demandé si elle pouvait faire enlever le blé d'Inde de l'épi et la serveuse lui avait répondu d'un air nonchalant: «Yes, if you do it yourself». Il était très rare de recevoir des plaintes de notre clientèle, mais cette fois-là, c'était comprenable. Les touristes étaient tous bien heureux chez-nous et année après année, les mêmes gens revenaient. En très peu de temps, il n'était plus nécessaire de faire de la publicité. C'était la clientèle qui recommandait notre place à d'autres. Quand je n'appréciais pas la façon dont certains nouveaux clients se comportaient, je ne les acceptais pas l'été suivant. Dès le début, je voulais attirer du bon monde qui ne nous causerait pas d'ennuis.

Les filles qui servaient étaient toutes de la région. Un été, j'en ai embauché une qui ne parlait pas trop anglais, mais nous lui avions donné quelques leçons pour qu'elle sache comment aborder la clientèle. Le premier matin, elle devait offrir des céréales. Lorsqu'une dame lui demanda quelle sorte de céréales nous avions, la pauvre lui a répondu: «Porridge, Corn Flakes and Grapp Nuts.» Très charitablement, la dame l'a reprise en lui disant: «It's Grape Nuts, dear.» La serveuse s'exclama en anglais: «Is that what you call him?» La dame et son mari sont venus rire à leur goût dans la cuisine et la jeune fille avait un si beau caractère qu'elle en a bien ri, elle aussi.

Nous étions comme une grande famille à l'hôtel. Les gens n'avaient ni radio ni télévision. Alors, ils s'assoyaient tous ensemble sur la galerie. Le soir, certains sortaient un accordéon ou une harmonica et tout le monde chantait. Les vingt-cinq chaises berceuses étaient presque toujours occupées. Quand il faisait moins beau, le monde passait la soirée au salon. L'été où nous avons eu Gertrude Toutant comme serveuse, elle a bien diverti le monde avec tous ses talents. Elle chantait comme un rossignol. Elle dirigeait les danses et elle jouait du piano. Sa soeur Magella en était une bonne elle aussi! Pendant des années, c'est ma fille Marguerite qui jouait du piano au salon. Elle avait pris quelques années de leçons et elle avait un talent naturel pour la musique. En peu de temps, elle apprenait toutes sortes de nouvelles chansons et elle pouvait jouer avec partition ou de mémoire.

Tous mes enfants ont aidé à bâtir notre entreprise. C'était une entreprise de famille et les enfants travaillaient là où on en avait besoin: à la vaisselle, aux repas, au lavage, au repassage, à la boucherie ou à maintes autres tâches. Ce n'était peut-être pas une vie très facile pour eux, mais en grandissant, ils ont compris pourquoi on travaillait si fort. Comme tous les parents, nous voulions ce qu'il y a de meilleur pour nos enfants. Nous voulions qu'ils aient tous la chance de se faire instruire s'ils le voulaient ou les moyens de réaliser leurs rêves. Dans ces temps-là, on ne pensait pas encore à l'université: on pensait à envoyer nos enfants au collège et au couvent si on voulait qu'ils se fassent instruire en français au secondaire. Notre aîné Gabriel était allé pensionnaire au Collège. À l'âge de onze ans , nous l'avions envoyé au collège Saint-Alexandre au Québec. Après deux ans là, c'est au Collège Sacré-Coeur à Sudbury que nous l'avons envoyé.

En 1936, la vie est devenue beaucoup plus facile. Enfin, on avait l'hydro. Quels changements! Un réfrigérateur électrique, un poêle électrique, des grille-pain, un fer électrique, une machine à laver et même une machine à rouleaux électriques pour repasser les draps. Fini les lampes à l'huile et les blocs de glace! Avec tous ces nouveaux appareils, plusieurs tâches devenaient plus faciles et l'hydro nous avait aussi permis d'agrandir la salle à manger. Nous avons pu augmenter le nombre de chambres à coucher. Plus tard, quand mon mari a acheté tout l'équipement d'une boucherie, on pouvait acheter en gros. Alfred n'était plus obligé d'aller en ville à tous les deux jours pour acheter des provisions. Avec nos deux gros réfrigérateurs, on pouvait dès lors acheter la viande en quartier. Les œufs, les fruits et les légumes se gardaient bien et on pouvait enfin acheter du lait en quantité. La modernisation de notre entreprise voulait dire que le commerce grossissait. En quelques années, j'avais treize employés à part ma famille.

Les affaires allaient assez bien au magasin de Lafontaine. Là aussi, on avait toujours de l'aide engagée[67]. J'ai eu plusieurs filles qui ont travaillé chez-nous: Angélina Boucher (la première femme de M. Trefflé Robitaille), Carry Desroches (Mme Armand Corriveau), Alice Desroches, Alexina Marchildon, Hazel Desroches et Valentine Robitaille. Les trois dernières nous ont toutes laissés pour se marier. Quand Valentine nous a quittés, Henriette Maurice est venue me demander bien humblement si je ne l'engagerais pas. Elle me dit: «Je vois que toutes les filles qui travaillent ici trouvent toutes un mari! Peut-être que j'aurai une chance moi aussi!» Henriette était d'un certain âge et elle était restée célibataire. Elle n'avait pas du tout envie de se marier. Elle aimait bien rire et à faire rire. Henriette était bonne comme du bon pain!

Monsieur le curé Henry Brunet à Lafontaine de 1915 à 1937

Chapitre VIII
L'Église au coeur de nos vies
1937

Mes enfants ont gardé de bons souvenirs des filles qui travaillaient chez-nous. Mais comme tous les enfants du village de cette époque-là, il y avait quelqu'un de très spécial qu'aucun enfant n'a jamais oublié: c'était le père Brunet.

Après avoir passé vingt-deux ans à Lafontaine, le père Henry Brunet nous quitta pour cause de maladie en 1937. Depuis 1915, notre bon curé s'était dévoué inlassablement pour sa paroisse et tout le monde l'aimait. Il était d'une si grande bonté que les gens qui s'en souviennent le qualifieraient tous de saint homme.

Pendant la Dépression, alors qu'il n'y avait pas d'aide sociale, le père Brunet était toujours prêt à aider ceux qui souffraient de pauvreté. Il venait au magasin avec eux et leur achetait de la nourriture. Parfois aussi, il remplissait sa voiture de pains et avec l'aide des enfants, il allait distribuer ça aux pauvres. Il avait lui-même connu l'extrême pauvreté, alors il ne faisait aucune dépense inutile pour la paroisse. S'il avait de la peinture, il s'en servait jusqu'à ce qu'il l'ait tout utilisée avant d'en acheter d'autre. Quand la peinture des murs de l'église décollait, il repeinturait avec la

peinture qu'il avait en main quelle qu'en fut la couleur! Pendant un certain temps, même la statue de l'Enfant Jésus qui se trouvait dans la cour, était peinturée rouge vif y compris le visage!

Le père Brunet avait toujours de bons sermons bien préparés, mais aux dires du monde, ils étaient un peu trop longs. La messe était à 10h00 et l'on sortait de l'église à 12h20. L'église était peuplée de saints et de saintes pendant les années du père Brunet: il y avait une statue de sainte Anne, de la Sainte Vierge, de saint Joseph, du Sacré-Coeur, de saint Jean-Baptiste, de saint Antoine de Padoue, de sept ou huit martyrs canadiens, des quatre évangélistes, de saint Isidore le laboureur et de sainte Marthe, patronne des vieilles filles. En plus, il y avait plusieurs tableaux: l'un d'eux représentait la première messe célébrée à Carhagouha par le père Joseph Le Caron. C'est à Lafontaine que fut célébrée la première messe en Ontario en 1615. À cause de ce tableau, on n'oubliait jamais que ce missionnaire récollet avait dit cette messe en présence de Samuel de Champlain. Il y avait un autre tableau dans le sanctuaire qui représentait la mort de saint Joseph. Le troisième tableau était une représentation du purgatoire et il semble que, d'après ce tableau, il n'y aurait que des femmes au purgatoire!

Le père Brunet aimait bien les enfants et il répétait souvent: «Les enfants d'aujourd'hui seront les paroissiens de demain».

En haut: le premier prêtre natif de notre paroisse. Le père Philippe Brunelle qui a été curé de 1908 à 1915. À droite: l'église de la paroisse Sainte-Croix à Lafontaine. On en commença la construction en 1874 et elle fut achevée en 1877. Elle avait coûté 18 000$.

Parfois, avant de se rendre à l'école, le Père venait au magasin acheter de gros sacs de bonbons. Il prenait plaisir à lancer ces bonbons partout dans la classe et à regarder les enfants se précipiter pour les ramasser. Il était patient comme un saint avec les enfants de choeur. Jamais il ne les grondait. Chaque année, entre le jour de l'An et la fête des Rois, il y avait une journée consacrée aux enfants. Les familles étaient nombreuses et l'église était pleine d'enfants qui criaient, pleuraient, riaient et qui couraient dans les allées. Peu importe, ils étaient là pour se faire bénir par le père Brunet! À l'occasion de l'une de ces cérémonies, il avait organisé une petite procession à laquelle les enfants prenaient part. Mon fils Gabriel avait fait saint Joseph et sa cousine Velma Marchildon avait fait la Sainte Vierge qui portait l'Enfant Jésus dans ses bras. Un autre enfant tirait un gros chameau dans un petit wagon. Ce jour-là, l'église était un paradis pour les enfants! Ils se faisaient bénir et après, les mamans les amenaient à la sainte table où ils étaient tout heureux de recevoir un suçon[68] et une image sainte.

Le père Brunet savait tout ce qui se passait dans la paroisse parce qu'il était tout à fait intégré à la communauté. Afin de voir ce qui se passait dans l'église, il avait fait installer un petit miroir en haut du tabernacle. Il était bien sérieux, mais il aimait aussi à rire. Une fois, lors d'un concert à la salle paroissiale, il avait composé une chanson sur les vieux garçons et nous avions donc ri! Il avait une voix très puissante et très belle.

Le père Brunet travaillait aussi très fort à Lafontaine. Il n'avait pas de bedeau. Donc, il prenait soin de son cheval lui-même. C'est lui qui devait aussi chauffer les poêles du presbytère et de l'église. Le dimanche matin, il commençait à faire chauffer la fournaise de l'église vers les 4 ou 5h00. Il disait qu'il brûlait une corde de bois pour que l'église soit confortablement chaude. Il se faisait aider par les gamins de l'école et il leur donnait quelques sous en récompense. Tous les enfants l'aimaient!

Quand le père Brunet prit sa retraite en 1937, c'est le père Philippe Brunelle qui est venu le remplacer en attendant l'arrivée de notre nouveau curé. Le père Brunelle avait été curé à Penetanguishene pendant plusieurs année. En 1937, il était à sa retraite, mais quand il avait été jeune prêtre, sa paroisse avait été Sainte-Croix à Lafontaine. Il avait changé de paroisse avec le père Brunet qui était curé à Penetang en 1915.

Le père Brunelle était donc un bon prêtre et nous avions raison d'en être fiers. Il était le premier prêtre natif de notre paroisse: fils de Théophile Brunelle et d'Emma Marchand. Puisqu'il était de la place, il était de notre monde et il nous parlait comme l'un des nôtres. Je me rappelle une fois, pendant son homélie, il avait raconté qu'une certaine dame lui avait demandé si c'était péché de manger le gras dans les «binnes» (beans). Le vendredi était maigre[69] dans ce temps-là. Ce qu'il avait répondu à cette femme, il le répéta en chaire: «Mangez ça, en bon canayen, du gras c'est pas de la viande!»

Le père Brunelle se plaisait à Lafontaine, mais il était rendu vieux. Comme la brebis qui revient au bercail, le bon père Brunelle devait se sentir bien heureux de revenir à sa place natale. Il nous a quittés, en décembre 1937, quand le père Thomas Marchildon est arrivé pour prendre la responsabilité de la paroisse.

Le père Marchildon était mon beau-frère. Il avait fait ses études au séminaire Saint-Augustin et comme les autres membres de sa famille, il était très fier de sa langue et de sa culture. Peu après son arrivée à Lafontaine, il a fait construire la salle paroissiale. Comme il cherchait toujours à encourager les gens à s'instruire davantage, il eut l'idée de lancer le mouvement coopératif en 1939. C'est lui qui a organisé, un à un, les cercles d'études de l'école des grands à la maison. Le curé Marchildon avait à coeur de persuader

Monsieur le curé Thomas Marchildon à Lafontaine de 1937 à 1968

ses paroissiens que l'étude en groupe est le secret de toute réussite coopérative. Le mouvement qu'il a fondé connut plusieurs grands succès dans notre village: la caisse populaire, la moulange[70] coopérative, et les achats groupés d'engrais, de machines et de produits agricoles. C'est aussi grâce aux efforts du père Marchildon que la culture des patates de semence fut introduite à Lafontaine. Il distribuait à profusion des revues, des brochures, des livres et des journaux afin de renseigner ses fidèles sur leur métier.

Le père Marchildon était un homme sérieux. Il était convaincu que Lafontaine se trouvait à un tournant de son histoire et il cherchait à instaurer un esprit plus progressiste dans la paroisse. Il est l'auteur de plusieurs livres historiques et religieux, et il a même écrit une pièce de théâtre «Le loup de Lafontaine». Les rôles furent joués par les paroissiens et ce fut un grand succès à la salle paroissiale. Le père Marchildon a bien réussi à exprimer sa vision de l'avenir. En quelques mots, dans un document historique sur Lafontaine, il témoigne fortement de ses convictions. À propos des cercles d'études, il a écrit: «Ainsi, la coopération a eu pour premier effet de découvrir à nos habitants qu'ils ont de l'initiative, découverte des plus précieuses pour un endroit comme Lafontaine si exposé à l'ambiance anglaise. Aujourd'hui, on n'est plus si tenté de jeter des yeux d'envie sur le voisin qui s'arrange bien. Sous ce rapport, le mouvement coopératif exerce certainement une profonde influence. Qui sait même s'il ne deviendrait pas, comme on l'a dit, un facteur de survivance française, facteur qui nous sauverait de l'abîme toujours présent et toujours pressant de l'assimilation dans laquelle sont tombés tant des nôtres dans le nord ''du comté'' de Simcoe».

À cette époque-là, on disait «Qui perd sa langue, perd sa Foi». Le père Marchildon a milité pour la survivance du français à Lafontaine et parfois, il ne pouvait retenir ses frustrations. Si par exemple, une famille donnait un nom anglais à un enfant ou un nom qui n'était pas un nom de saint, il s'en enrageait en chaire! Il allait jusqu'à dire que ces noms étaient des noms de chiens et de chevaux, de pirates et de brigands. Avec le temps, les gens se sont habitués aux intempestives du père Marchildon mais, en quelques années, les grands racontaient aux petits ce qu'ils n'avaient jamais oublié: jadis, dans le passé, ils avaient pu recevoir des bonbons à la sainte table.

Avec le père Marchildon, ce n'était plus la même histoire: les enfants de choeur recevaient des fruits et des noix, mais surtout pas de sucre blanc! Le curé était vraiment à l'avant-garde de la bonne nutrition et il prêchait les avantages de l'alimentation naturelle. Pour ses fidèles, fermiers, cultivateurs et bons vivants, ces idées n'étaient guère trop populaires à l'époque.

Le père Marchildon était un homme sérieux, spirituel et intellectuel. Son ministère à Lafontaine fut très fructueux. Pendant ses trente années dans notre paroisse, il y eut plusieurs vocations et un grand nombre de filles se firent religieuses. Il y eut cinq ordinations: les frères Marchand, Paul et Joseph; Évain Marchand, Justin Desroches et Viateur Laurin.

L'intérieur de l'église Sainte-Croix lors de l'ordination du père Joseph Marchand en 1955

Chapitre IX

La guerre et l'après-guerre
1940-1950

Vers les années 1930, la vie était peut-être paisible pour nous qui étions bien isolés dans notre petit coin, mais ce n'était pas le cas pour tout le monde. Depuis longtemps, le monde se disait civilisé, mais les gens étaient aussi durs que dans le passé. Quand on pense que dans mon jeune temps, en Angleterre, on enlevait les enfants des familles trop pauvres et on les envoyait ici au Canada. Les Canadiens étaient payés pour garder ces enfants. Pourquoi les gouvernements ne payaient-ils pas les parents pour garder leurs propres enfants? Ça devait donc leur crever le coeur!

Pendant les années 1930, il y avait beaucoup de discrimination. Je n'oublierai jamais un incident qui s'était produit à l'hôtel. Si j'en ai encore un très mauvais souvenir, c'est que j'ai encore honte du rôle désagréable que j'avais été appelée à y jouer.

Un jour, pendant que j'étais à la messe, un couple qui avait réservé par téléphone, est arrivé et l'une des filles leur a montré leur chambre. Ils avaient réservé d'avance. Le même soir, après le souper, toute ma clientèle est venue en délégation à la cuisine et on voulait me parler. Ils m'ont dit que ce couple était juif et que si je ne les renvoyais pas, qu'eux partiraient tous. Comme je ne voulais pas que l'hôtel se vide, je suis allée dire aux Juifs que je ne pouvais pas les garder. Ma conscience me disait qu'agir ainsi envers ces Juifs était de mauvaise foi et j'ai eu bien de la peine.

Mes parents et mes grands grands-parents nous avaient pourtant bien instruits d'aimer Dieu avant tout et notre prochain comme nous-mêmes. Je repensais à ce que j'avais fait et je me rappelais les paroles d'une ancienne chanson que maman avait apprise de sa mère. Quand ma grand-mère était jeune, on venait d'abolir l'esclavage des Noirs en 1834. Mes grands-parents nous chantaient cette chanson:

LE PAUVRE NOIR

Le front couvert de sueur et de sang
Un pauvre Noir du côté de Guinée
Marchant courbé sous son fardeau pesant
En déplorant sa triste destinée.
Ne pouvant plus porter son lourd fardeau,
Il s'écria: «Maître à l'âme cruelle
Mon coeur ressent une douleur mortelle.»

Au pauvre Noir, au pauvre Noir, donne un peu de repos.

Pendant vingt ans, j'ai travaillé pour toi
Mes bras nerveux ont défriché tes plaines.
Je deviens vieux maintenant tu le voies,
Mon sang flétri se glace dans mes veines.
Sous ce palmier au bord de ce ruisseau
Je t'ai sauvé de fureur de lionne,
Sois généreux, prends pitié de ma peine.

Au pauvre Noir, au pauvre Noir, donne un peu de repos.

De me frapper, qui t'a donné le droit?
Dieu me créa dis-tu pour l'esclavage,
Ne suis-je pas un homme comme toi?
Ne crois-tu pas qu'un Noir peut être sage?
Les coups de fouet qui déchirent ma peau
Font frissonner mon coeur dans ma poitrine.

Le tigre est fort, mais le lion le domine.

Au pauvre Noir, au pauvre Noir, donne un peu de repos.

Le coeur brisé, le Nègre malheureux
En gémissant sur ce cruel outrage
Prit son fardeau, les larmes aux yeux
En maudissant l'homme au pâle visage.
Huit jours plus tard, pleurant sur son tombeau
Un jeune enfant à la voix mâle et fière
Faisait serment de venger son vieux père.

Au pauvre Noir, au pauvre Noir, donne un peu de repos.

Nous avions grandi à croire que personne n'avait le droit d'opprimer les autres. Quand je repense à la façon dont les Juifs étaient traités, les paroles du pauvre Noir me reviennent toujours «Dieu me créa... Ne suis-je pas un homme comme toi?»

Quand on déclara la guerre en 1939, je trouvais ça épouvantable de penser que nous allions perdre des milliers de vies si inutilement. À la Première Guerre mondiale, on nous avait dit que ce serait la dernière... celle qui allait mettre fin à toutes les guerres. On nous avait trompés. En 1939, c'était bien simple quant à moi: il y avait trop de monde et pas assez d'argent. La pauvreté et le chômage étaient si répandus partout en Europe que les chefs toujours trop ambitieux avaient décidé de faire la guerre. Ils savaient que la guerre mettrait fin à la Dépression, que l'économie serait stimulée par la production que créerait la guerre, et qu'en même temps, ils se débarrasseraient du surplus de population. Il y a toujours toutes sortes de raisons pour justifier la guerre, mais dans le fond, ça revient toujours à l'argent.

À Lafontaine comme ailleurs, la guerre s'est fait sentir. Les fils de fermiers en étaient exemptés, mais plusieurs garçons furent appelés: mon neveu Gérard Marchildon et Willie Lafrenière étaient soldats, et Willie n'en est jamais revenu. Paul Beaupré était policier dans l'armée et Bernard Laurin était dans les forces marines. Un de mes neveux de l'Ouest, Paul Marchildon, a aussi été appelé à servir.

Mon fils Gabriel épousa Rhéa Béland en 1940

Chez-nous, on était chanceux. Nos deux fils qui auraient été appelés étaient déjà morts: l'un bébé, et Marc à l'âge de six ans. J'en ai remercié le bon Dieu maintes fois de les avoir pris quand ils étaient petits. Ça me semblait encore moins pénible que de les voir partir pour la guerre. En 1939, mon fils Henri n'avait que treize ans, donc il était trop jeune. Mon fils Gabriel fut appelé plus tard, vers la fin de la guerre. Il a dû y aller, mais ils ne l'ont pas gardé plus que quelques jours. Gabriel était si maigre qu'ils ont probablement eu pitié de lui. Quand il n'a pas passé l'examen médical, je remerciais le bon Dieu d'avoir répondu à mes prières. Gabriel était marié, sa femme était enceinte et ils avaient déjà deux enfants.

Gabriel s'était marié en 1940. Il avait épousé Rhéa Béland de Pembroke en Ontario. Rhéa était institutrice à Lafontaine quand ils s'étaient rencontrés, mais pour se marier, Rhéa avait dû abandonner son poste. Dans ce temps-là, les femmes mariées n'avaient pas le droit d'enseigner. Au début de leur mariage, Gabriel et Rhéa vivaient à Barrie. Comme tout le monde, ils commencèrent leur famille.

Quand mon premier petit-fils Vincent est né en 1941, ce fut un grand jour de joie pour moi. J'étais bien heureuse de devenir grand-mère à quarante-huit ans. Mon mari dépassait la cinquantaine, mais lui, il ne raffolait pas de devenir grand-père. Au début, il n'aimait pas se faire appeler pépère! Mais ça n'a pas pris de temps, il s'est bien vite attaché aux petits-enfants.

La nature de mon mari était telle qu'il ne pouvait pas s'arrêter d'entreprendre de nouveaux projets. Il lui fallait toujours bâtir. En 1942, il acheta cent acres de propriété de Thomas Desrochers. Il n'avait pas l'argent, mais lui et Thomas se sont échangé des lots de terres contre des lots à la grève. Sur ce cent acres, Alfred avait une érablière et une plantation d'arbres de Noël. Les arbres ne se vendaient pas chers à cette époque-là, mais je me souviens qu'Alfred avait travaillé fort. Quand il en avait vendu, il s'était fait 2 500$. Avec cet argent, il avait pu s'acheter une auto et une camionnette.

Un jour qu'Alfred travaillait à la sucrerie avec Napoléon Desrochers, ils ont entendu un drôle de bruit: le bruit d'un moteur d'avion qui faisait défaut. Ils sont sortis dehors juste au moment

où un avion s'écrasait dans le champ à la dix-septième concession. Il y eut une explosion terrible! Les deux aviateurs avaient sans doute communiqué leur panne à la base avant de descendre, car en peu de temps, les entrepreneurs de pompes funèbres étaient sur les lieux de l'accident. Dans de grands paniers en jonc, ils ont ramassé des morceaux de chair éparpillés partout. Personne ne leur enviait cette tâche. Moi, je n'avais pas le coeur d'aller voir cet accident, mais plusieurs y sont allés. Ils ont dit que la montre d'un des aviateurs était pleine de chair, qu'elle s'était ouverte et refermée sous l'impact.

Si j'étais allée voir l'accident d'avion, cette scène me serait restée fixée en mémoire. Ça me faisait penser à la guerre et je savais qu'au même moment, cette même tragédie se répétait partout dans le monde. Pendant la Première Guerre, j'avais demeuré dans la grande ville et j'avais vu les longues listes de noms des soldats morts au front et les émeutes des policiers dans les restaurants. La vie humaine ne valait pas chère; les hommes allaient à la guerre à contre coeur comme de vrais animaux à l'abattoir. J'avais été beaucoup plus consciente de la guerre quand j'étais en ville. En plus, la Première Guerre avait été pire. La Deuxième Guerre mondiale ne

En haut: pendant plusieurs hivers à la fin des années 40, nos neveux de l'Ouest venaient chez-nous et aidaient mon mari à faire les sucres avant de retourner à Zenon Park en Saskatchewan. Au centre de la photo: Léon et Paul Marchildon (fils de Gilbert). À droite: mon fils Henri raffolait de la pêche! À gauche, M. Ernie White et mon mari, Alfred, à droite.

fit que les deux tiers des victimes de la Première.

À une distance de quarante milles d'ici, à Camp Borden, il y avait une base militaire depuis 1916. Entre 1939 et 1945, 185 000 soldats furent entraînés là. Comme cette base était aussi un lieu d'entraînement pour les pilotes, on voyait beaucoup d'avions survoler les alentours. Un jour que j'étais debout sur la plage, deux avions sont passés comme un coup de foudre à une altitude dangereusement basse. Ils sont passés à pas plus de vingt pieds au-dessus de ma tête! Je ne les avais pas entendu s'approcher et j'ai failli tomber morte de frayeur tant j'avais été ébranlée.

Avec la guerre vint aussi le rationnement de toutes sortes de commodités: le sucre, la viande, l'essence, le beurre et même les allumettes, le thé, le café et les raisins. Ça nous compliquait la vie au magasin, car les gens devaient venir échanger leurs coupons. Aussitôt que les gens savaient que nous avions reçu des produits rationnés tels que le savon, ils arrivaient à la hâte pour s'en procurer. Je gardais toujours une réserve pour ma clientèle régulière.

Au magasin de Lafontaine, nous avions aussi un poste d'essence. Les coupons d'essence arrivaient tous la même journée et chacun devait inscrire son numéro de plaque sur chaque coupon. Les gens oubliaient souvent de le faire, mais ils risquaient de payer une amende. L'inspecteur du gouvernement venait chez-nous et il avait la réputation d'être un vrai bigot. Un jour, il est arrivé au magasin et les gens venaient de recevoir leurs coupons, le

jour précédent. Il espérait sans doute en attraper plusieurs, mais ce ne fut pas le cas. Ma fille Marguerite eut l'idée géniale de monter au premier étage, d'ouvrir la fenêtre et d'avertir discrètement la clientèle que l'inspecteur était là. Au bout d'un certain temps, l'inspecteur se mit à soupçonner quelque chose de bizarre: les gens qui s'arrêtaient et qui repartaient aussitôt. Il me demanda ce qui se passait et je lui dis que je n'en savais rien. Il est tout de suite sorti dehors juste au moment où Roger Brunelle se préparait à prendre la fuite. L'inspecteur l'apostropha et lui demanda pourquoi il s'était arrêté au poste d'essence s'il n'avait pas l'intention d'en acheter. Roger, très calmement, lui répondit carrément: «Just a habit I guess!» Cette réplique semble tout à fait conforme au Roger Brunelle que nous avons connu. L'inspecteur dut s'en retourner sans n'avoir attrapé personne ce jour-là.

Le rationnement nous causa aussi beaucoup d'ennuis à l'hôtel. Heureusement, plusieurs touristes avaient la gentillesse de nous garder les coupons dont ils ne se servaient pas. À l'été, ils nous les apportaient. Nous avions aussi la chance d'acheter la viande fraîche des fermiers et il y avait toujours le bon poisson de la Baie Georgienne.

Mon mari avait construit deux bateaux avec Gilbert Blondin et l'un de ces bateaux était assez gros pour embarquer vingt-cinq passagers. Au début, Eugère Vallée et Bernard Vallée s'occupaient d'amener les gens soit à la pêche ou en tournée. Mais à la longue, c'était mon fils Henri qui prenait plaisir à promener les touristes sur l'eau.

Henri raffolait de la pêche! À l'âge de quinze ans, nous l'avions envoyé faire son secondaire au Collège Sacré-Coeur à Sudbury et il s'ennuyait beaucoup de la vie à Lafontaine et à la Baie. Quand il revenait en vacances d'été, il voulait passer tout son temps à pêcher avec son père. Cela nous rendait bien service, car ils attrapaient assez de poissons pour nourrir de soixante-quinze à cent personnes. On offrait du bon poisson frais au menu à trois ou quatre repas par semaine. Henri était bien utile pour nous fournir du poisson, mais si je lui demandais de m'aider à faire autre chose, ce n'était pas la même histoire! Il me répondait toujours de grand coeur: «Bien sûr, maman, j'y vais tout de suite», mais en peu de temps, il avait oublié ça et il était reparti sur l'eau. Quand il revenait, ça le fâchait de voir que l'ouvrage avait s'été faite sans lui!

Pendant les vacances d'Henri, un été, deux prêtres du collège sont arrivés lui rendre visite à la Baie. Quand je leur ai dit qu'Henri était à la pêche, ils se sont tous deux exclamés d'une même voix: «À la pêche!» Paraît-il qu'Henri n'écrivait que des compositions sur le thème de la pêche. Tout ce qu'il écrivait se rapportait d'une façon ou d'une autre à la Baie. Les deux prêtres qui enseignaient à Henri étaient eux-mêmes devenus intéressés à venir voir ça. Ils sont restés à attendre Henri jusqu' à 10h00 le soir. Quand il est arrivé, il avait dix-neuf belles grosses truites à montrer aux prêtres. Ils avaient les yeux gros comme des piastres! Ils ne pouvaient plus repartir sans qu'Henri promette de les emmener à la pêche. Comme de fait, à 4h00 le lendemain matin, Henri leur a préparé un bon gros déjeuner et ils sont partis tous les trois. Après cette excursion, les prêtres étaient si enchantés qu'ils ont dit que ça avait été la plus belle journée de leur vie.

Nous avions souvent des prêtres qui nous visitaient à la Baie. En 1943, M. George McNamara avait fait construire la chapelle Sainte-Florence et nous avions toujours trois ou quatre prêtres en pension gratuite à l'hôtel. Cette chapelle était tout près et cela nous accommodait, car Alfred n'était plus obligé de conduire deux fois à l'église le dimanche matin soit pour le personnel et pour sa famille. La chapelle faisait bien notre affaire, mais Mme Duquette n'aimait donc pas se faire déranger par les prêtres: elle devait servir leur déjeuner à toutes sortes d'heures et cela la fatiguait. Un jour, elle m'a dit: «L'année prochaine quand vous ferez vos brochures, vous indiquerez: No dogs, No children and NO PRIESTS!»

À l'été de 1944, nous avions le père Thompson à la Baie. C'est toujours à lui que je repense quand j'entends parler du feu de forêt de cet été-là. Le feu avait commencé après une longue sécheresse et les pompiers des villes voisines étaient venus essayer de contrôler le feu. Le père Marchildon avait aussi demandé des volontaires de Lafontaine. Malgré tous leurs efforts, une bonne partie du bassin de la Baie passa au feu. Pendant toute une semaine, la fumée était si épaisse qu'on ne pouvait même pas voir le soleil. Nous étions bien inquiets parce que le feu menaçait de brûler notre commerce.

117

Le dimanche du 27 août, le père Thompson a passé tout l'après-midi à marcher continuellement sur le chemin en arrière et il récitait son chapelet sans arrêt. Si on lui parlait, il ignorait complètement notre présence. Ses prières ont dû aider, car vers 5h00, le vent a tourné très soudainement et la pluie a commencé. Le feu était rendu au perron du chalet au coin chez Reid, à moins d'un demi-mille de chez-nous. Grâce à la prière, nous étions sauvés!

L'été suivant, en 1945, les touristes se sont rassemblés en avant pour regarder brûler un autre feu. Cette fois, on croyait que c'était un bateau en feu au large. De temps en temps, le feu semblait vouloir s'éteindre, mais une autre explosion ranimait les flammes et le feu reprenait. Deux hommes sont allés en bateau voir ce qu'il en était, mais ils ne pouvaient pas s'aventurer trop loin à cause du grand vent ce jour-là. Nous avons téléphoné ici et là, et nous avons appris que ce feu venait de Parry Sound, à quarante-cinq milles de l'autre côté de la Baie. C'est là qu'ils étaient en train de faire sauter des munitions: la guerre était finie! Dès que nous avons entendu cette nouvelle, tout le monde était en fête. Pendant toute une semaine, la joie de vivre régnait et la vie était redevenue belle.

L'après-guerre marqua le début d'une nouvelle ère à Lafontaine. L'année suivante, en 1946, les jeunes gens de la paroisse pouvaient enfin se faire instruire dans une nouvelle école secondaire. Avant la construction de celle-ci, mes filles avaient fréquenté l'école de continuation dans des locaux qui se trouvaient dans la salle paroissiale. Ma fille aînée, Marguerite, était allée faire un an de secondaire au couvent des Soeurs de Sainte-Croix à Montréal et un an chez les Soeurs de Saint-Joseph à Toronto. Désormais, Alice et Thérèse pourraient terminer leurs études à la nouvelle école.

Alice a reçu son diplôme en 1947 et Thérèse en 1948. Après le secondaire, Alice s'est sentie attirée par la vie religieuse. En 1949-50, elle est allée au couvent des Soeurs de Sainte-Jeanne-d'Arc à Ottawa, mais ce n'était pas sa place. Elle est donc revenue par chez-nous et elle a continué à m'aider à l'hôtel pendant un autre dix ans. J'étais bien contente d'avoir Thérèse et Alice. Marguerite avait décidé de poursuivre des études universitaires et elle reçut son baccalauréat en 1948. La même année, Henri a reçu le sien du collège Sacré-Coeur. Il avait fait son secondaire là et il y était resté jusqu'à l'obtention de son baccalauréat.

Pendant ces années-là, mon fils Gabriel avait une famille. En 1945, mon mari avait construit un restaurant à la Baie. Il espérait pouvoir lancer Gabriel en affaires. Il voulait que Gabriel assume la gérance de ce restaurant, mais un commerce de deux mois par année n'était pas assez rentable. Gabriel a dû se trouver du travail ailleurs.

Après la guerre, je me rendais bien compte que ma famille

L'école séparée de Ste-Croix fondée en 1886 et démolie en 1971
La nouvelle école ouvrit ses portes en 1946

grandissait et qu'ils allaient bientôt me quitter, un à un, pour faire comme tous les jeunes: se marier et élever des enfants. En 1947, ma fille Marguerite a rencontré son futur mari par l'entremise de ses cousins de l'Ouest: Paul, Léon et Léopaul Marchildon. Les cousins étaient venus nous visiter de la Saskatchewan et ils avaient amené un confrère du collège de Gravelbourg. Quand Alfred Mullie fut présenté à la famille, mon mari reconnut aussitôt le nom Mullie et demanda au jeune Alfred s'il n'était pas le fils de Julien. C'était un petit monde! Alfred était en effet le fils du pionnier belge que mon mari avait connu en Saskatchewan, trente-cinq ans plus tôt.

119

À l'automne de 1950, Alfred et Marguerite se sont mariés. Dans ce temps-là, on disait toujours «Qui prend mari prend pays» et cela ne me souriait pas de voir Marguerite partir si loin. En Saskatchewan, Alfred, son père et ses frères avaient 1 680 acres de terre en culture de céréales. Il ne pouvait pas abandonner cette entreprise, donc Marguerite a dû le suivre.

En 1950, mon mari et moi étions fatigués de tenir magasin au village. Mon fils s'était construit une maison tout près de chez-nous et j'ai réussi à convaincre mon mari de faire un échange avec Gabriel: sa maison contre le magasin. Ils étaient tous deux d'accord. En 1950, Gabriel et Rhéa avaient déjà quatre enfants: Vincent, Victor, Suzanne et Michel. Au cours des années suivantes au magasin, ils eurent aussi Grégoire, Denise et Lucie. Les petits-enfants étaient pour moi une source de joie et de bonheur. Je les voyais souvent, car ils étaient à moins de cinq cents pieds de nous. Rendue à la soixantaine, les petits étaient pour moi un nouveau souffle de vie.

Marguerite et Alfred se mirent aussi à commencer leur famille. En 1952, ils nommèrent leur première petite fille, Marie, comme moi. Ils étaient toujours en Saskatchewan quand leur fils Marc est né en 1953. Ça me manquait beaucoup de ne pas avoir ma fille près de moi et je priais pour que son mari puisse se trouver un moyen de gagner sa vie près d'ici. Avec le temps, mes prières furent exaucées.

Au printemps de 1954, mon mari eut une idée. Nous avions trois lots vacants sur la côte près de l'hôtel et mon mari demanda à notre gendre Alfred s'il ne voulait pas les avoir pour se joindre à nous dans le commerce du tourisme. Alfred consentit et à l'automne, il a vendu sa part des fermes dans l'Ouest. Marguerite, Alfred et les deux enfants arrivèrent pour de bon, cet hiver-là.

Au lieu de se lancer dans une entreprise comme la nôtre, Alfred Mullie était allé en Floride où il avait vu des motels. Quant à lui, c'était mieux que des chalets parce qu'il y aurait moins d'ouvrage. Les gens seraient en appartement et ils ne seraient donc plus dépendants d'une salle à dîner aux repas. Dès l'ouverture du motel en 1954, ce fut très populaire.

Ma fille Marguerite épousa Alfred Mullie en 1950

Mon fils Henri épousa Jeanne Laprade en 1952

Marguerite et Alfred voulaient aussi se construire une maison sur le lot voisin du nôtre à Lafontaine. En attendant qu'elle soit finie, ils habitaient avec nous et c'est pendant cet hiver-là qu'est née Louise, leur troisième enfant. En juin 1956, ils ont aménagé leur nouvelle maison et c'est dans celle-ci qu'ont grandi Claire et Pierre.

Au printemps de cette même année, Henri finissait son internat en médecine à l'Université de Montréal. Au cours de ses études, il avait rencontré et épousé Jeanne Laprade en juin 1952. Quatre ans plus tard, quand Henri a obtenu son diplôme, lui et Jeanne avaient déjà deux enfants: Luc né en 1953 et André en 1955.

Henri voulait installer sa pratique par ici, près de la Baie Georgienne, parmi les gens qu'il avait toujours connus. Il ouvrit un bureau à Penetanguishene et c'est dans cette ville que sont nés leurs deux autres enfants, Louise et Yves. J'étais au comble du bonheur, car tous mes enfants s'étaient rapprochés de moi. Tous mes petits-enfants grandissaient autour de moi.

C'était la tradition chez-nous de recevoir tous nos enfants et nos petits-enfants au jour de l'An. Chaque année, ce jour-là me rappelle de très beaux souvenirs d'une maisonnée en pleine fête. Après le souper, c'était compris que les grands s'assoyaient au salon pendant que les enfants nous donnaient un spectacle. Chacun devait présenter soit une chanson ou un poème. Une année, je leur avais moi-même fait répéter une petite pièce de théâtre d'après le récit «L'Énumérateur». Comme c'était comique de les voir et de les entendre s'emberlificoter! Aussi, on laissait les enfants se cacher partout dans la maison et quand on n'entendait plus un mot, les papas, Gab, Henri et Fred partaient à la chasse aux enfants. Du salon, nous les femmes, on entendait des cris de mort quand les petits se faisaient attraper! Que de souvenirs... On laissait les enfants se fatiguer jusqu'à ce qu'ils s'endorment ici et là où ils le voulaient.

En octobre 1957, notre fille Alice épousa Marc Génier de Lafontaine. Nous connaissions bien les parents de Marc et nous étions bien enchantés qu'Alice choisisse un garçon de la place. Le père Marchildon avant de célébrer leur mariage, avait même dit à sa nièce Alice qu'elle avait «un très bon garçon». Ce fut en effet un mariage très harmonieux. Ils demeurèrent chez-nous jusqu'à

Ma fille Alice épousa Marc Génier en 1957

124

la naissance de leur premier garçon, Émile, né en 1960. Ensuite, ils achetèrent la maison de Mme Chevrette qui se trouve à quelques minutes à pied de chez-nous et c'est là qu'ils eurent un deuxième fils qu'ils nommèrent Marcel.

Après le départ d'Alice, j'avais encore ma cadette Thérèse. Elle était au début de la trentaine et elle n'avait pas encore rencontré le sien. La destinée lui réserverait un rôle qui ferait tout à fait mon bonheur. Pendant trente ans, elle est restée à mes côtés. C'est grâce à sa tendresse qu'elle m'assure encore aujourd'hui la plus grande qualité de vie possible dans ma vieillesse.

Chapitre X
Le décès de mon mari
Le 7 septembre 1956

À l'été de 1956, Henri est revenu de Montréal. J'étais bien contente qu'il soit ici parce que mon mari ne se sentait pas bien. Alfred semblait morose, mais il ne se plaignait pas de ses douleurs et il refusait de consulter les médecins. Ce n'était pas une habitude pour lui parce qu'il n'avait jamais même souffert d'un mal de tête. Mais ce printemps-là, rien n'allait plus. Alfred, qui n'avait jamais critiqué les repas que je lui servais, ne trouvait soudain plus rien à son goût.

Après avoir examiné Alfred, Henri m'annonça que son père était plein de cancer et qu'il était cousu de petites bosses partout. Henri était médecin, mais il n'était pas encore licencié pour pouvoir pratiquer en Ontario. Il étudiait en vue de passer cet examen au cours de l'été. Je suis venue à bout de convaincre Alfred d'aller voir le docteur Grisé à Midland et celui-ci confirma le diagnostic d'Henri: le cancer était trop avancé pour toute intervention chirurgicale. J'étais bien triste quand le docteur m'a annoncé cette nouvelle au téléphone, mais quand il est venu chez-nous l'apprendre à Alfred, mon mari semblait bien résigné à mourir sous peu.

Nous avions rencontré quelque temps auparavant, un médecin qui se disait capable de guérir le cancer en trois semaines. Ce docteur Roy de Barry's Bay était venu chez-nous avec notre neveu de l'Ouest, le père Arthur Marchildon. Je n'avais pas confiance de pouvoir faire guérir Alfred, mais je n'allais pas non plus lui refuser la chance d'en regagner. Nous sommes donc partis tout de suite.

De gauche à droite: mon mari Alfred Marchildon, Joe Bellisle, Joe Bourgeois et Bob Desroches. À l'extrême droite: un touriste inconnu.

À Barry's Bay, il n'y avait pas d'hôpital. Il nous fallait demeurer au domicile du docteur Roy afin qu'il puisse administrer tous les traitements nécessaires. Les premiers jours, tout allait bien, mais en peu de temps ce docteur devint agressif et intolérable: on aurait dit qu'il voulait qu'on s'en aille. Mais nous sommes restés les trois semaines jusqu'à ce qu'Alfred ait reçu tous les traitements. Le jour de notre départ, le docteur Roy ne se montra même pas pour nous dire au revoir. Par après, j'en ai conclu qu'il aurait voulu qu'on parte plus tôt. Comme ça, il aurait pu nous blâmer si Alfred n'avait pas guéri. Le docteur Roy était un charlatan. Quelques années plus tard, il perdit son droit de pratique.

Ces trois semaines à Barry's Bay m'ont semblé trois mois. Nous sommes revenus le 31 août, quelques jours avant l'anniversaire de naissance de mon mari. Le 5 septembre, c'était sa fête mais Alfred était resté au lit. J'étais à ses côtés quand il me demanda si je savais quel jour c'était aujourd'hui. Faisant semblant de rien, je lui ai demandé: «Quel jour Alfred?» Il m'a répondu: «J'ai seize ans aujourd'hui.» Il savait que c'était sa fête, mais son idée s'en allait[71].

Ce fut tout un choc pour moi de constater qu'Alfred allait mourir d'un instant à l'autre. Deux jours plus tard, le 7 septembre 1956, Alfred mourait. Il venait d'avoir soixante-sept ans. Nous l'avons exposé dans son cercueil chez-nous à la maison et quand les petits-enfants venaient voir pépère, ils étaient sages et tranquilles: il ne fallait pas faire de bruit, pépère dormirait éternellement.

Alfred me laissait, mais ce n'était pas sans souvenirs de lui. Tout ce qui m'entourait avait été fait de ses propres mains. Mon mari n'avait certainement pas manqué de courage ni d'ambition. Avec lui, suffisait que je parle d'un projet qui n'était qu'une fantaisie, Alfred se mettait aussitôt à transformer mes rêves en réalité. Il en avait bâti des choses! D'abord, ça avait été le magasin et la grande remise derrière, ensuite ça avait été l'hôtel et le chemin qui passe devant. Il avait aussi construit un pont en bois rond. Plus tard, quand on a donné des lots au conseil pour qu'ils puissent faire le chemin en arrière, Alfred avait refait ce pont en ciment. Quel travail ça avait été! En plus de sa sucrerie et des arbres de Noël, il avait construit le restaurant à la Baie, six gros chalets et onze chalets de deux ou trois chambres à coucher.

Il me laissait toute cette propriété et j'étais bien en sécurité pour ma vieillesse. Cependant, la prospérité n'avait pas toujours été. Je me rappelle quand j'étais jeune mariée, Alfred me tenait[72] souvent à tirer le diable par la queue: nous n'avions jamais d'argent à la banque. Pendant la Dépression, je me souviens qu'au printemps, j'aurais bien voulu, moi aussi, avoir un chapeau neuf. À la messe, je voyais le défilé des femmes bien habillées et c'était quand même un sacrifice que de regarder ces beaux vêtements et de n'avoir en main que les gros comptes que le monde nous devait au magasin. Je connaissais aussi l'état financier de ces familles et je savais que ces gens non plus n'avaient pas d'argent. Mes enfants ont aussi connu ce que c'est d'être mal habillés. Quand ils étaient jeunes, ils devaient se contenter des simples habits que je leur cousais de mes propres mains.

Alfred avait été trop plein d'ambition, mais nous étions vraiment bien accouplés. Quand les temps furent plus prospères, il n'y avait rien qu'il m'aurait refusé. Quand j'ai voulu m'acheter mon premier manteau de fourrure, il était tout à fait d'accord et content de me voir bien habillée. Il avait aussi tous les besoins de ses enfants à coeur, leur éducation et leur bien-être.

Alfred avait l'humeur prompte, mais c'était vraiment son seul défaut. Il prenait très rarement un coup et moi, je ne buvais pas du tout. Je me souviens quand les touristes se sont mis à essayer de convaincre Alfred d'obtenir un permis pour servir de la boisson: il n'en était pas question. Même si c'était vrai que nous aurions pu faire beaucoup plus d'argent, Alfred s'était bien prononcé: «L'argent ne vaut pas tout ; la paix est plus importante». Mon mari n'était pas un homme sorteux, car le bonheur pour lui, c'était d'être à la maison avec sa famille.

La mort de mon mari marqua le début d'une période de problèmes financiers. Les inspecteurs du gouvernement sont venus m'annoncer que je leur devais plus de 16 000$ en taxes de succession. À cette époque, l'hôtel n'était plus tellement rentable et mes fonds étaient déjà rendus pas mal à sec. Nous avions fait vivre Henri et sa famille pendant ses études et nous lui avions aussi avancé de

Mon mari n'avait pas manqué de courage ni d'ambition.

l'argent pour qu'il puisse s'acheter une maison à Penetanguishene. J'ai dû dire à Henri que je n'avais plus d'argent et que je ne pourrais plus l'aider. Je devais moi-même vivre avec de l'argent emprunté pendant que je rebâtissais mes fonds. En plus des taxes que je devais payer, ça m'a coûté 1 000$ en frais d'avocat.

À soixante-cinq ans, je me sentais très vieille tant j'étais fatiguée. Alice et Thérèse étaient là pour m'aider à continuer, mais je ne pouvais plus continuer comme avant. Quand mon mari était là, c'est lui qui s'occupait de la boucherie. Après sa mort, c'est moi qui devais assumer cette responsabilité. Après deux étés, en 1958, j'ai décidé qu'il était temps de faire quelque chose.

Je pouvais emprunter autant d'argent que je voulais de trois personnes à Lafontaine et c'est ça que j'ai fait. En 1958, j'ai engagé M. Donat Desroches et il a déménagé les six petits chalets situés sur la côte à l'ouest de l'hôtel. Donat a ensuite abaissé la côte et

En haut: ma fille Marguerite, moi-même ainsi qu'Alice et Thérèse. En bas: le motel d'Alfred et Marguerite fut populaire dès son ouverture en 1954

j'ai engagé M. Austin Desroches.Avec son fils Doriste, il a construit les murs de rétention en pierres des champs. À l'automne, M. Alcime Maurice a monté la charpente de mon nouveau motel, le Happy Hill Homes.

En 1960, j'ai décidé d'en finir avec l'hôtel. J'avais eu plus de cent filles qui avaient travaillé pour moi, mais je n'étais plus à l'âge de pouvoir en assumer la gérance. Heureusement que j'avais Thérèse, car après le mariage d'Alice, je n'aurais pas pu continuer seule. C'est donc Thérèse qui commença à assumer de plus en plus

En haut: mon nouvel hôtel ouvert en 1959. À droite: Lors du 25e anniversaire de mariage de Gabriel et Rhéa en 1965, j'étais au comble de mon bonheur, car tous mes enfants étaient près de moi. De gauche à droite: Alice, Thérèse, Gabriel, moi-même, Marguerite et Henri.

les responsabilités de l'entreprise.

Après avoir fait des plans d'architecte moi-même, j'ai engagé mon fils Gabriel et M. Louis Laurin. À deux, ils ont passé l'hiver de 1960 à convertir la salle à manger en appartements. En 1961, j'ai de nouveau engagé M. Alcime Maurice et ses ouvriers pour convertir l'étage du haut en appartements. En tout, j'avais dix-neuf appartements. J'ai ensuite fait aménager les huit petits chalets avec des cuisines et des salles de bains.

Au début de l'année 1960, l'hôtel n'existait plus: les temps étaient révolus. Les appartements étaient très populaires et je connaissais bien ma clientèle. Plusieurs d'entre eux étaient venus à l'hôtel avec leurs parents quand ils étaient petits et maintenant, ils revenaient en vacances avec leur propre famille. La vie était bien belle et j'avais la tête en paix. J'avais un homme engagé qui

savait tout faire. C'était M. Achille Marchildon. Il a travaillé pour moi pendant plusieurs années, et Thérèse et moi avions beaucoup d'agrément[74] avec lui. Achille était toujours de bonne humeur et plein de farces.

Ma fille Thérèse est toujours restée à mes côtés. Elle m'assure la plus grande qualité de vie possible dans ma vieillesse.

Je me trouvais très chanceuse de pouvoir recommencer à faire de bonnes affaires. En plus, je me sentais comblée de bonheur, car tous mes enfants et petits-enfants étaient autour de moi. Mais le bonheur n'étant pas fait pour cette terre, ce temps de joies et de paix ne pouvait pas durer.

Chapitre XI
Mon cher Henri
1965

Très tôt aux petites heures du matin, le 16 octobre 1965, je fus éveillée de mon sommeil par un coup de téléphone. La sonnerie m'a ébranlée, car j'étais en train de faire un rêve troublant: je rêvais qu'il y avait un homme qui s'approchait de moi et je ne sais pas pourquoi, mais j'en avais bien peur même s'il n'avait pas l'air méchant. Quand il s'est approché, il m'a dit d'écrire deux mots sur un bout de papier, les mots CLOWN et CROWN.

Quand je me suis levée pour répondre au téléphone, ces deux mots continuaient à me résonner dans la tête. C'était Jeanne, la femme d'Henri qui m'annonçait que mon fils était mort, qu'il avait perdu la vie dans un accident de la route. Au moment où j'ai pris pleine conscience de la réalité, j'ai eu l'impression que mon rêve s'entremêlait à la vraie vie. Il me semblait que mon songe m'avait déjà annoncé et confirmé la mort d'Henri: j'avais dû écrire, CLOWN et CROWN.

C'était vrai. Mon Henri, mon «bouffon» qui pouvait faire rire même les malades, mon Henri, il était mort. Quant au deuxième mot «couronne» que j'avais dû écrire dans mon rêve, c'était pour

moi le symbole d'une grande consolation: Henri était au ciel en paix avec Dieu.

Dans mon grand choc, je me suis mise à revoir toute la vie d'Henri se dérouler dans ma tête. Sa naissance en 1926, son enfance quand pas une seule gardienne ne voulait le garder parce qu'il était trop tanant... Je me demandais pourquoi il avait été ainsi mon petit Henri...

aurait-ce été le plan de Dieu? Pourquoi est-ce qu'Alfred et moi étions obligés de l'emmener avec nous tandis que les autres enfants pouvaient se faire garder? Aurait-ce été pour nous permettre de passer plus de temps avec lui pendant sa courte vie?

Je ne comprenais pas pourquoi Dieu nous l'enlevait à ce moment de la vie. Il n'avait pas trente-neuf ans et sa carrière ne venait que de commencer après tant d'années d'études. Pourquoi cette croix pour Jeanne qui resterait seule avec quatre petits enfants? Je pensais à Henri qui était mort et dans mon état de confusion, je répétais et je répétais: «Les pauvres enfants! Les pauvres enfants!»

Henri avait aussi été petit comme eux. Un enfant plein de vie et de besoins. Je revoyais dans ma mémoire les images de son enfance et je me suis attardée à l'une d'elles. Je le revoyais le matin quand il arrivait à la cuisine où il faisait toujours une fête à son chien en se levant. Je tâchais de lui apprendre à mettre le bon Dieu avant tout autre chose et je lui répétais toujours: «Henri, tu penses à ton chien avant de penser à Dieu!» Un bon matin qu'Henri se

En haut: mon fils Henri 1926-1965. À droite: Henri en 1950

préparait à faire la fête à Rags, il avait tendu les bras vers son chien. Il n'avait pas eu le temps de dire plus que: «Ah! mon...» quand il s'est rappelé ce que j'allais lui dire. Avant que je puisse souffler un mot, il s'était détourné de Rags et il s'était agenouillé: il faisait sa prière.

En grandissant, Henri était resté pieux. Je me souviens quand on allait en bateau toute la famille, des fois, on s'apercevait qu'Henri ne parlait plus. Je le voyais, le chapelet à la main, le regard tourné vers l'eau: il priait.

Même s'il aimait tant rire et faire rire, Henri avait gardé un côté sérieux et spirituel. Après sa mort, deux personnes sont venues me dire qu'Henri les avaient guéries sans remède. Mme Albert Moreau qui gardait des enfants du bien-être social me dit qu'elle avait amené un petit garçon voir Henri. Ce petit était grandette[75], mais il n'avait jamais pu s'arrêter de mouiller son lit. Mme Moreau me dit: «Après avoir jasé une seule fois avec Henri, le petit gars n'a plus jamais repris cette habitude. Henri ne lui avait donné aucun remède.»

Il y a aussi eu une autre dame qui m'a parlé d'Henri, Mme Stella Marchildon Smith. Depuis son enfance, Stella était affligée d'exzéma et elle était allée voir plusieurs spécialistes à Toronto. Aucun remède ne la soulageait. Un jour, elle s'était décidée d'aller voir Henri. Stella me raconta mot pour mot sa conversation avec lui. Henri lui avait dit: «Je suis en vacances! Nous allons à la chasse ma femme et moi avec le docteur Lauzon et sa femme. Mme Philippe Leblanc et son garçon Jean viennent avec nous. Viens donc toi aussi et je verrai à ton exzéma à mon retour.» Après la mort d'Henri, Stella est venue me

raconter tout ceci et elle m'a dit: «J'avais attendu qu'on revienne de la chasse pour lui parler de mon exzéma, mais quand je suis revenue chez-moi, mon exzéma ne m'a plus jamais bâdrée[76].»

La magie d'Henri était qu'il aimait beaucoup le monde. Son affection pour les autres lui fut certainement rendue le jour de son enterrement. Il y avait des fleurs assez pour remplir les trois salles du salon funéraire! Il y avait un très long défilé d'autos qui se sont rendues jusqu'au cimetière de Lafontaine, car les amis et les anciens copains de collège étaient venus de partout. C'était bien émouvant de voir tant d'hommes pleurer aussi amèrement la mort d'un ami. Henri avait été quelqu'un de spécial et il avait touché la vie de bien des gens.

Quand Jeanne s'est décidée de retourner à Montréal pour se retrouver parmi les siens, j'étais bien triste de penser que mes petits-enfants n'auraient peut-être plus de naturel[77] pour moi. Avec le temps et à cause de la distance, je craignais d'en être séparée, mais ce ne fut pas du tout le cas. Jeanne et les enfants ont toujours continué de me rendre visite après la mort d'Henri et pour ça, je me sens bien chanceuse. J'ai pu voir grandir les enfants et maintenant, ils m'amènent mes arrière-petits-enfants pour que je puisse les connaître.

Jeanne avait pris la bonne décison. Elle a vu à ce que ses enfants se fassent bien instruire et à Montréal, ils ont pu le faire en français. Henri doit être fier de sa femme et de ses enfants. Quand je les vois autour de moi à la Baie ou quand les gars parlent de la pêche, ça me rappelle donc[78] des souvenirs d'Henri. Henri ne cessera jamais de me manquer.

Chapitre XII
Ma vieillesse
1957

Depuis plus de trente ans, je vis mon âge d'or. Je me trouve encore la femme la plus chanceuse au monde. Dans mes vieux jours, ce qu'il y a de plus important pour moi, c'est ma famille. Le bon Dieu me comble de bonheur, car j'ai mes quatre enfants qui vivent tous près de moi à Lafontaine. J'ai dix-huit petits-enfants qui me rendent visite et vingt-trois arrière-petits-enfants que je vois grandir.

Je remercie le Seigneur de ma bonne santé qui me permet encore d'aimer la vie. Aussi longtemps que je ne serai pas un fardeau, je vais continuer de vouloir vivre. Je me dis que lorsqu'on arrêtera de prier pour moi, là je mourrai. Et quand je serai morte, je dis à mes enfants de ne jamais dire «Pauvre maman, qu'elle a donc travaillé» parce que j'ai bien aimé ma vie. J'ai toujours aimé travailler... et j'aimerais encore être capable. Lorsqu'on est bien occupée, on n'a pas le temps de penser à nos «bobos»[79].

Je me fatigue très vite maintenant, mais j'aime encore entreprendre de la couture. Je fais encore mes robes, mais ce n'est plus pour épargner. C'est parce que j'aime ça! L'argent que j'épargne, je le donne ici et là à ceux qui en ont besoin, et j'aime bien faire des couvre-pieds et du crochet pour les Missions. J'ai découvert que dans la vie, le vrai bonheur, c'est de pouvoir aider les autres.

C'est curieux comme je m'attache au monde, moi. Quand je revois les familles qui nous ont voisinés, chez Jérôme Charlebois, chez Ovide Laurin, chez Albert Gignac et beaucoup d'autres, je suis toujours contente. On dirait qu'ils sont encore mes voisins. C'est de même[80] pour les filles qui ont travaillé chez-nous. Je les ai toutes aimées et je ne voudrais pas qu'il leur arrive quoi que ce soit. Quand je prie pour l'humanité, c'est à tout ce monde et à leur descendance que je pense.

Dans un petit village comme Lafontaine, le voisinage est si important. Je garde de bons souvenirs de plusieurs voisines qui m'ont été très chères. Je pense à Joséphine, Mme Albert Gignac. Elle était presque une soeur pour moi. Souvent, en hiver, on emmenait nos enfants glisser dans la côte du couvent et on avait donc du plaisir ensemble. Pendant que les enfants avaient le temps de faire deux ou trois glissades, nous, on en prenait une à notre gré[81] et ça nous donnait la chance de jaser tout en prenant de l'air frais. Joséphine était toujours pleine de bonnes idées. Je m'étais fait une robe avec du tissu que j'avais au magasin et Joséphine s'était fait un tablier avec le même tissu. Comme j'avais déchiré ma robe, je voulais la raccommoder, alors j'ai demandé à Joséphine si elle n'avait pas des retailles[82] de tissu à me donner. Elle n'en avait pas, mais elle déchira un coin de son tablier et me le donna. «Tiens!» dit-elle. «Raccommode ta robe et je vais arrondir les coins de mon tablier.»

On s'entraidait beaucoup entre voisines. À côté de chez-nous au magasin, il y avait Mme Louis Gravelle. Ses fils Pit et Louis travaillaient ailleurs et Mme Gravelle vivait seule. Je la vois encore la pauvre vieille, assise à la fenêtre en train de lire son livre de messe. Elle n'était pas riche et il lui fallait économiser même le bois de chauffage. Elle arrivait souvent chez-nous en disant: «Je viens me réchauffer.» À l'heure des repas, quand je voyais que nous avions trop de nourriture pour la famille, je préparais une assiettée et j'allais frapper chez Mme Gravelle. Elle acceptait toujours gracieusement le repas que je lui apportais. Elle aussi me rendait bien service. Elle tricotait des bas pour mes enfants et elle ne voulait jamais que je la récompense. Mes enfants l'aimaient beaucoup leur mémère Gravelle! En fin de compte, Mme Gravelle est allée finir ses jours à Randolph chez son frère André Robillard. Mais pour être plus près de l'église, elle revenait toujours coucher chez-nous pendant le temps des Pâques et des Quarante Heures.

Après le départ de Mme Gravelle, chez George Marion sont venus vivre dans sa maison. Leur fille Angélina venait souvent faire son tour chez-nous et si j'étais bien occupée au magasin, elle mettait ma maison en ordre. Même quand j'étais en train de faire de la couture, elle continuait mon ouvrage. C'était toujours fait très soigneusement, car elle était très bonne couturière.

Mme Thomas Marchildon était aussi très charitable envers moi. Après la mort de son mari, elle est venue demeurer au village chez son gendre et sa fille, M. et Mme Patrick McNamara. Parfois, elle passait des journées entières à me faire du raccommodage et elle refusait toujours de se faire payer.

Il ne faut pas que j'oublie Mme Blanche Moreau qui venait souvent me donner un coup de main. Si elle arrivait chez-nous et

À 65 ans, je me sentais très vieille. Je n'aurais pas cru que j'allais vivre plus d'un autre 30 ans!

que ma vaisselle n'était pas lavée, elle la lavait et elle mettait de l'ordre dans la maison.

Aujourd'hui, c'est à mon tour d'être vieille. Je suis maintenant à mi-chemin dans ma quatre-vingt-seizième année et tout ce beau temps tire pas mal à sa fin. J'aime encore rire, mais je trouve qu'il y a de moins en moins d'occasions. À chaque année, je regrette toujours de voir l'été s'en aller. Mais malgré tout, je ne trouve pas les hivers longs. À l'automne, j'ai toujours espoir de pouvoir rencontrer mes bons et bonnes amies au Club de l'âge d'or. À tous les mardis après-midi, on cause ensemble, on joue aux cartes, on chante et on se donne la joie de vivre. Je ne comprends pas comment il se fait qu'il n'y a pas plus de nouvelles personnes qui viennent remplacer ceux et celles qui nous quittent. On dirait que lorsque quelqu'un meurt, le conjoint ou la conjointe qui reste se sent mis de côté. Après un certain temps, ces personnes n'ont plus de contact avec la paroisse. Ça ne devrait pas être ainsi. La vie peut encore être agréable! Laissez là la télévision et venez vous joindre à nous! Je dis ça comme si je m'attendais à toujours être de la compagnie[83], mais je sais bien qu'un jour, on devra me remplacer, moi aussi.

Je suis rendue au point où je devrais penser à la mort puisque la mort est inévitable, mais pourtant je n'y pense que de temps à autre. Je pense plutôt à ceux qui m'étaient chers et qui sont morts depuis longtemps: ma mère, mon père, mes frères, ma soeur et mon mari. Pour moi, aucun de ces décès ne fut aussi pénible que les deux morts tragiques de mes deux enfants, Marc et Henri.

Même si j'ai eu des moments très difficiles, j'ai toujours eu la Foi en Dieu. Je récite encore les prières de mon enfance et je n'ai jamais abandonné la pratique de réciter mon chapelet à tous les soirs. Je crois que Dieu est toute bonté et toute justice. Nous, on a tendance à juger et à blâmer les autres. Mais les autres sont peut-être plus à plaindre qu'à blâmer. Si la justice de Dieu n'était pas divine, si elle était comme celle des juges de la terre, nous serions tous et toutes en prison. Mais Dieu nous en pardonnera beaucoup.

Si vous me demandez ce qu'est mon idée de la vie après la mort, je dois vous dire que j'y ai souvent pensé. Je crois que ce sera le repos éternel pour les justes. Je ne crois pas que Dieu va nous jeter en enfer. Ce sera nous-mêmes qui aurons déterminé notre éternité.

Il y a très longtemps, j'ai fait un rêve qui m'a donné une vision de comment ce serait dans l'autre monde. Dans ce rêve, il y avait

un groupe de chiens qui marchaient ensemble, se suivant les uns les autres. Mais il y en avait un qui marchait à l'écart des autres et plus je le regardais, plus il me semblait craintif et malheureux. Quand je me suis réveillée de ce songe, j'ai eu l'impression que ça devait être comme ça dans l'autre monde: que les bons seraient avec les bons et que les méchants ne voudraient même pas

Dans la seizième concession à Lafontaine, la famille Albert Maurice avait fait ériger un monument en 1948

143

s'approcher d'eux. De leur propre remords, les méchants souffriront d'avoir déplu à Dieu.

Quand j'étais petite, mes parents nous lisaient les Évangiles et on grandissait en croyant qu'il y aurait un Antéchrist avant la fin du monde. On nous enseignait que ce serait quelqu'un qui viendrait sur la terre pour nous faire accroire qu'il pourrait nous sauver, mais que ce serait le vrai démon. On nous répétait: «Si quelqu'un vous dit que le Christ est ici, ou que le Christ est là, n'y allez pas!» On était bien avertis.

Autrefois, les Évangiles nous étaient expliqués à tous les dimanches et on les savait presque tous par coeur. À cette heure[85], on n'en entend presque plus parler. Que feront ceux qui n'auront jamais entendu parler de l'Antéchrist? Je vous dis que ce sera tentant d'aller voir quelqu'un qui se dira capable de nous sauver! Je serais tentée moi-même si je ne tenais pas aux paroles de l'Évangile.

Quand on était petits, on nous enseignait que la fin du monde viendrait par le soleil. Même, on chantait une chanson qu'on appelait la chanson du vieux Charlot. Le vieux Charlot était le grand-père de mon amie Flora Pilon. Après ne pas l'avoir chantée depuis quatre-vingts ans, je ne me rappelle que de deux couplets:

Par un lundi au matin
Le soleil se lèvera
Il se lèvera d'un feu si grand
Il sera rouge
Tout comme du sang.

Les bêtes qui seront sauvages
Sortiront des bois, des marges[85].
Elles regarderont terre brûler
Tout comme si elles étaient
Pour se mettre à pleurer.

Du haut de ma côte à la Baie, je remarque qu'il y a de moins en moins de modestie sur la plage. De voir la manière dont le monde s'habille, ça pourrait bien arriver que Dieu, par la puissance du soleil, force les gens à s'habiller. Quand je grandissais, on entendait souvent dire que si Dieu se fâchait, qu'il nous punirait d'une façon ou d'une autre. À une époque, on croyait que la fin du monde viendrait par la bombe atomique et ensuite, on croyait que ça viendrait par la guerre nucléaire. De plus en plus, je retourne aux croyances de ma jeunesse: je pense que ce sera en effet le soleil qui mettra le feu à la terre. Déjà, avec la pollution qui augmente à un rythme accéléré, on n'est plus protégés des rayons du soleil. On est en train de se détruire nous-mêmes, sans même que Dieu ait eu à se fâcher!

Mais je me demande bien où ils seront ceux et celles qui se réchapperont. Tout comme dans le temps de Noé, je pense qu'il y en aura qui se réchapperont. Mais je me demande si, comme après le Déluge, Dieu permettra à la terre de continuer.

C'est le bon Dieu qui arrangera ça. Dieu n'a pas eu de commencement et n'aura pas de fin. Je le crois tout comme je crois que la mort, ce n'est qu'un au revoir. Je suis sûre que nous nous reverrons un jour.

Épilogue

Je me demande pourquoi nous voulons tant vivre quand on sait que le vrai bonheur est encore à venir. Le temps de ma jeunesse est passé comme une fleur et pourtant, dans ma vieillesse, j'aime encore la vie.

Le matin quand je me lève, je ne sors pas de ma chambre sans m'être lavée, peignée et même maquillée. J'essaye de laisser les couleurs sombres de côté et de m'habiller gaiement. Je me mets même un collier au cou à tous les jours parce que je trouve que tout cela aide à relever le moral.

J'imagine que ce n'est pas toujours drôle de garder des vieux et des vieilles. Alors, j'essaye de rendre la tâche plus facile à Thérèse. Je me dis que c'est bien assez pour les autres de devoir regarder une vieille sans que je leur fasse toujours penser à la mort. J'aime mieux rayonner la vie.

Bien des gens croient que notre façon de vivre influence la longueur de notre vie, mais je pense que ça dépend plutôt de ce que Dieu, dans sa bonté, veut nous accorder. À chaque année au jour de l'An, on chante «Mon Dieu, bénissez la Nouvelle Année» et on se demande si l'on verra finir l'année. Comme disait autrefois le père Brunet: «Celui ou celle qui est en bonne santé part souvent avant celui ou celle qui est malade». Les jeunes devraient y penser autant que les vieux. Votre tour s'en vient peut-être plus tôt que vous ne le pensez.

L'hiver dernier, j'ai moi-même cru que mon heure était arrivée quand j'ai déboulé dans la cave la tête la première. Je me suis écrasée sur un plancher de ciment. C'est incroyable, mais je ne me suis rien brisé! Il faut bien que j'aie des moments sombres, moi aussi, mais je me trouve chanceuse. À vrai dire, je me trouve la plus chanceuse au monde. Dans ma vieillesse, mon plus grand bonheur est d'avoir aimé ma vie et de ne pas me sentir triste de devoir mourir. Ce n'est que l'ordre que Dieu a voulu pour toute sa Création: naître, grandir, connaître de beaux jours, vieillir et mourir. Ensuite viendra l'éternité et on ne mourra plus!

Quand je suis seule, j'aime bien me bercer et chanter en contemplant la nature. C'est toujours devant l'immensité de la nature que je me sens la plus près de Dieu. Que ce soit devant le firmament du matin ou devant le coucher du soleil, devant les astres, l'eau, le sable, les fleurs, les arbres ou les oiseaux, je sais au plus profond de mon coeur que tout cela est l'oeuvre de Ses mains.

Sans la grâce de Dieu, je ne serais pas ici en train d'achever d'écrire mes mémoires. C'est même grâce à Sa volonté si je peux me rappeler toutes les étapes de ma vie!

C'est drôle, mais le plus je vieillis, le plus je peux clairement revoir les scènes du passé. Je les isole, je les rejoue, une à la fois, pour les revivre. Ça me permet d'oublier que je suis vieille. Je suis bien consolée de penser qu'au fil de ma très longue vie, je fus tout à fait comblée.

Lexique

1. **pépère**   grand-père
2. **ménager**   épargner
3. **stage-coach**   diligence
4. **chore-boy**   homme à tout faire
5. **manger**   nourriture
6. **venir à bout**   réussir
7. **tanant**   fatigant
8. **clairer**   défricher
9. **regagner**   prendre le dessus, ne plus souffrir
10. **à notre gré**   quand on en a envie
11. **rang**   concession
12. **catalogne**   tapis fait de morceaux de tissu que l'on tisse sur un métier
13. **cârre**   baril pour recueillir l'eau de pluie
14. **la belle bergère**   jeu de devinettes
15. **la chaise honteuse**   qqn devine qui est là
16. **prendre**   commencer
17. **donc**   vraiment
18. **tourtière**   tarte à la viande
19. **marmaille**   groupe d'enfants
20. **croupé**   très enrhumé
21. **huile éclectique**   remède miracle que l'on achetait
22. **avoir les mains pleines**   avoir trop de travail
23. **à fendre l'air (à fendre l'âme)**   pleurer très fort
24. **cotteur**   charrette tirée par des chevaux

25. **lessivé** blé d'Inde bouilli dans une lessive. On faisait bouillir le blé d'Inde dans une lessive (eau et cendre). On changeait l'eau pour de l'eau claire et on faisait bouillir à nouveau jusqu'à ce que tendre.
26. **faire la corvée** s'entraider
27. **javelle** quantité de grain
28. **quintal (aux)** brassée de grain avec la paille
29. **carquier** quartier **quque** quelque
30. **première communion** cérémonie religieuse catholique au cours de laquelle l'enfant reçoit Jésus dans son coeur.
31. **confirmation** cérémonie religieuse catholique au cours de laquelle l'enfant reçoit l'Esprit-Saint.
32. **compagnie** monde
33. **garder maison** être ménagère
34. **vieille fille** femme célibataire
35. **mot pour mot** textuellement
36. **clairer** acquitter
37. **mémère** grand-mère
38. **sans pension** sans repas
39. **nouvelle toilette** nouveaux vêtements
40. **avoir du front tout le tour de la tête** être déterminé-e
41. **tomber dans l'oeil de qqn** plaire a qqn
42. **nurse maind** bonne d'enfants
43. **s'amouracher** tomber amoureux-se
44. **partir dans la vie** aider
45. **Canayen** Canadien
46. **aller aux vues** aller au cinéma
47. **homestead** ferme de 160 acres
48. **faire la** avoir la vie difficile
49. **ménage** nettoyage
50. **être à la veille de prendre** être près de prendre
51. **sorteux** aimer à sortir
52. **prendre le lit** s'aliter, tomber malade
53. **gré** rythme
54. **solage** fondations
55. **gratter pour deux... ou trois** épargner autant que deux ou trois personnes le pourraient
56. **prendre le chemin** faire faillite
57. **sleigh** traîneau tiré par des chevaux
58. **gâter** faire tous les caprices d'un enfant
59. **pour des bagatelles** pour très peu
60. **être à sa part** être indépendant-e
61. **la minute que** aussitôt que
62. **passer la porte** sortir dehors
63. **faire un bon coup** fairer un bonne affaire

151

65. **revirer une bonne brosse**   boire trop de boisson
66. **se garocher**   s'élancer précipitamment
67. **aide engagée**   personnel
68. **suçon**   bonbon au bout d'un bâtonnet
69. **maigre**   sans viande
70. **moulange**   coopérative où les fermiers font moudre leur grain
71. **l'idée qui s'en va**   la mémoire qui s'affaiblit
72. **tenir qqn à**   obliger qqn à
73. **pas mal**   plutôt
74. **avoir de l'agrément**   avoir du plaisir
75. **grandette**   plutôt grand-e
76. **bâdrée**   dérangée
77. **avoir du naturel**   avoir de l'amitié et de l'amour
78. **donc**   tellement
79. **bobo**   malaise
80. **de même**   ainsi
81. **à notre gré**   prendre le temps qu'il nous plaît
82. **retaille**   bout de tissu
83. **être de la compagnie**   être de la fête
84. **à cette heure**   maintenant
85. **marge**   bord d'un fossé

Achevé d'imprimer
le 12 décembre mil neuf cent quatre-vingt-huit
sur les presses de
Prodigy Industrial Printers Inc.
à Mississauga (Ontario) Canada